12 _7177
998

QUE SA

La mondialisation

PHILIPPE MOREAU DEFARGES

Conseiller des Affaires étrangères,
Professeur à l'Institut d'Études politiques de Paris,
Chargé de mission à l'Institut français des Relations internationales

Deuxième édition

9ᵉ mille

ISBN 2 13 048359 3

Dépôt légal — 1re édition : 1997
2e édition : 1998, juillet

© Presses Universitaires de France, 1997
108, boulevard Saint-Germain, 75006 Paris

INTRODUCTION

« Toute la terre habitable a été de nos jours reconnue, relevée, partagée, entre des nations ! L'ère des terrains vagues, des territoires libres, des lieux qui ne sont à personne, donc l'ère de libre expansion est close [...] *Le temps du monde fini commence.* Le recensement général des ressources, la statistique de la main-d'œuvre, le développement des organes de relation se poursuivent. Quoi de plus remarquable et de plus important que cet inventaire, cette distribution et cet enchaînement des parties du globe ? Leurs effets sont déjà immenses. Une solidarité toute nouvelle, excessive et instantanée, entre les régions et les événements est la conséquence déjà très sensible de ce grand fait [...] Les habitudes, les ambitions, les affections contractées au cours de l'histoire antérieure ne cessent point d'exister – mais insensiblement transportées dans un milieu de structure très différente, elles y perdent leur sens et deviennent causes d'efforts infructueux et d'erreurs. »

Ce texte célèbre de Paul Valéry, extrait de l'avant-propos de *Regards sur le monde actuel*, date de 1931. C'est bien là une première tentative pour cerner la *mondialisation*. Mais le mot lui-même n'apparaît pas ; peut-être est-il trop tôt pour le concevoir... Paul Valéry recense déjà cinq caractéristiques majeures du phénomène.

1. **« Le recensement général des ressources ».** — La mondialisation est un enfant de la science occidentale, de son ambition prométhéenne de soumettre la planète à l'homme posé comme tout-puissant. D'où cet inventaire de la terre, toujours en cours, et qui ne s'achèvera peut-être jamais : ce qui, au temps de Valéry, restait mal connu ou inconnu (sous-sols, forêts tropicales, fond des océans) est méthodiquement exploré (nombre de découvertes révélant de nouvelles zones obscures). Avec le satellite et la caméra, la terre est appréhendée comme une totalité ;

elle est sous des surveillances permanentes et rivales, observant tant les mouvements les plus imprévisibles de la nature (variations climatiques, mouvements géologiques) que les activités humaines (d'abord militaires – construction de sites, manœuvres de forces).

2. « **La terre habitable [...] reconnue, relevée, partagée** ». — Les terres émergées sont distribuées entre près de deux cents souverainetés étatiques ; en 1997, l'ONU, qui comprend presque tous les États de la planète, a 185 membres. Certes une région, sauvée par son éloignement géographique et la dureté de son climat, échappe plus ou moins à cette appropriation étatique : c'est l'Antarctique, doté d'un statut international, et dont sept États «possessionnés» se sont réparti l'administration. Même si le besoin de liberté des échanges et peut-être surtout l'incapacité des États à exercer un contrôle réel laissent l'essentiel des océans (la haute mer) ouvert à tous, les espaces maritimes sont, eux aussi, pris dans cette dynamique d'emprise étatique (extension de la mer territoriale, reconnaissance de zones économiques exclusives). Quant à l'espace extraatmosphérique, l'orbite géostationnaire, sur laquelle les satellites se déplacent à la même vitesse que la terre, est découpée, en 1977, entre les États.

Mais les « terrains vagues » disparaissent-ils ? Rien n'est moins sûr. Sous les lignes de partage officielles, se reconstituent des zones d'anarchie, éclatées, mouvantes, aussi bien quartiers de ville que vastes territoires chevauchant les frontières (par exemple, régions de production de drogue).

3. « **Cet enchaînement des parties du globe.** » — Déjà, dans les années 30, l'impact planétaire du krach de 1929, qui frappe aussi bien le banquier de Wall Street que l'ouvrier européen ou le coolie des plantations d'hévéas, confirme que le système économique mondial est bien constitué. C'est l'époque des colonies, des paquebots et des premiers vols commerciaux transocéaniques. En cette fin de XXe siècle, les flux explosent. Ils sont multiformes : à la lettre et au téléphone s'ajoutent notamment le télécopieur, les liaisons entre ordinateurs. Les villages les plus perdus sont sur les réseaux mondiaux. Aucune partie de

la terre n'échappe à cette mise en connexion : les flux grossissent spectaculairement là où pénètre en force la modernisation économique (ainsi, en cette fin de siècle, dans le bassin Pacifique) ; à l'inverse, ils demeurent minces dans les zones laissées en marge de cette dynamique mais ils sont tout de même présents (Afrique notamment). Le globe est enchaîné : il n'existe plus d'île déserte.

4. **« Une solidarité toute nouvelle, excessive et instantanée. »** — Cette solidarité est d'abord imposée. Tel événement (choc économique, révolution, guerre) survenant dans un coin de la terre peut affecter tout entière cette dernière par des canaux de transmission tant matériels (ainsi, dans le domaine financier, liaisons entre les bourses) que psychologiques (le moindre fait, en se changeant en information, suscitant réactions, interprétations et même manipulations). L'intensification des échanges, la vitesse de diffusion des idées amènent les individus, les peuples à se comparer constamment les uns aux autres. Chaque histoire particulière se trouve absorbée dans l'histoire mondiale ; chaque drame local fait écho à d'autres : ainsi, en ces années 90, l'Europe, le Proche-Orient, l'Afrique du Sud apparaissent comme les laboratoires d'une seule et même question : comment faire vivre ensemble des communautés qui se sont haïes ou se haïssent ? Ces jeux sans fin de comparaison à la fois entretiennent des conflits (d'abord entre ceux qui ont et ceux qui n'ont pas) mais aussi appellent des solidarités construites : d'abord, dès qu'il y a contact et échange de quoi que ce soit (marchandises, services, idées...), la recherche de règles communes, de codes organisant tout simplement la communication ; ensuite, des formes d'entraide (crédits et prêts, restructuration de dettes, coopérations).

5. **« Les habitudes, les ambitions, les affections contractées au cours de l'histoire antérieure. »** — La formation du monde fini fait-elle entrer l'humanité dans une ère historiquement nouvelle ? En fait la mondialisation n'abolit en rien le passé : les vieilles querelles entre peuples, entre classes, entre générations subsistent, ainsi que le rappellent, en cette fin de XXe siècle, les déchirements des Bal-

kans ou du Caucase ; rivalités locales et rivalités planétaires reprennent les mêmes enjeux : le contrôle des ressources, tout en restant un facteur de guerres locales – par exemple, pétrole dans le golfe arabo-persique –, suscite des oppositions globales, notamment entre pays riches et pays pauvres, les premiers – gros consommateurs de ces ressources depuis des décennies ou même des siècles – mettant désormais l'accent sur leur préservation, les seconds faisant valoir leur droit au développement et donc à la pleine exploitation de ces ressources. En même temps, l'avènement de cet espace mondialisé déprécie les antagonismes anciens : la confrontation des vérités humaines (religions, idéologies, nationalismes...) les dévalue en simples opinions ; un nouveau paramètre imprègne les calculs de tous les acteurs (États, entreprises, individus...) : toute la planète, toute l'humanité se trouvent impliquées dans un seul et même jeu.

La mondialisation résulte de **l'européanisation du monde** (chap. I), cette formidable expansion de nations européennes conquérant la terre et contraignant l'humanité entière à se redéfinir sous le choc de la modernité occidentale. Contrairement aux rêves des philosophes-prophètes du XIXᵉ siècle (Hegel, Comte, Marx...), la mondialisation n'est porteuse d'aucun sens de l'histoire ; il s'agit seulement de **l'explosion des flux** (chap. II). Face à cette augmentation et diversification massives des flux, **les acteurs de la mondialisation** (chap. III) – individus, entreprises, États – se heurtent à des dilemmes classiques, mais ces derniers sont durcis, métamorphosés par leur ampleur nouvelle. D'où **les conflits de la mondialisation** (chap. IV), qui reformulent des conflits anciens mais aussi mettent en scène les contradictions de l'humanité prise dans un destin concret commun. La mondialisation appelle donc **la quête de normes universelles**, mais conduit-elle l'humanité **vers un État mondial ?** (chap. V) Enfin, si un tel État est probablement impossible, quelles articulations peuvent s'établir entre **mondialisation** et **régionalisation** (chap. VI) ?

Chapitre I

L'EUROPÉANISATION DU MONDE

La mondialisation, ce mouvement d'appropriation de la terre par l'homme, s'amorce probablement il y a quelques millions d'années, dans ces temps obscurs où, en Afrique orientale, notre ancêtre – Lucy – émerge de l'animalité et, privé de la protection de la forêt, jeté dans la savane, se dresse sur ses pattes et apprend à regarder au loin. Plus tard, l'homme, devenu, en ce cœur de l'Afrique, *Homo sapiens* il y a entre 100 000 et 300 000 ans, commence ses interminables migrations et se répand peu à peu sur toute la planète. Ainsi, il y a 15 000 ans ou davantage, des hommes, venus d'Asie, franchissent à pied le « pont » de Béring puis descendent tout le long du continent américain, le colonisant, édifiant des cultures dont les dernières, qualifiées par l'Europe de « précolombiennes », sont anéanties en quelques décennies, dans la première moitié du XVIᵉ siècle.

L'homme, ce perpétuel migrant, se fixe avec la révolution du néolithique et le développement de l'agriculture (de – 4 000 à – 2 500). Il a alors pour horizon son village et son voisinage immédiat. L'Histoire commence. L'enracinement de la quasi-totalité de l'humanité n'empêche pas le déploiement de **songes universalistes.** Mais c'est des **grandes découvertes,** menées par des Européens qui s'entre-déchirent, aux **guerres napoléoniennes,** que s'ébauche la mondialisation, c'est-à-dire la formation de liens s'étendant à toute la terre... ou presque. Au XIXᵉ siècle, les puissances européennes et leur héritier, les États-Unis, opèrent **le grand désenclavement planétaire** (Pierre Chaunu), menant au choc terrible des deux guerres mondiales. Enfin, de la Seconde Guerre mondiale à cette fin de XXᵉ siècle, plusieurs dynamiques promeuvent **un espace mondial unique.**

I. — Les songes universalistes

Chacun des ensembles humains, qui émergent de l'opacité de la préhistoire, tend à se définir comme l'humanité tout entière. Que de groupes s'appelant tout simplement « hommes », les autres hommes – ceux qui n'appartiennent pas au groupe – étant perçus comme issus d'une autre espèce (en général inférieure) ! Depuis la nuit des temps, pour les hommes, l'humanité n'est jamais une donnée naturelle, c'est une construction propre à chaque culture.

Ces communautés restreintes, à l'aube de l'histoire, ont des dieux qui leur sont propres, qu'elles ne sauraient partager avec d'autres. Identité politique et identité religieuse se confondent. Ainsi Israël, peuple élu par son alliance avec Yahweh, le Dieu unique. Ainsi les cités grecques partageant un panthéon commun mais chacune ayant sa divinité protectrice, celle-ci jalouse et exclusive.

1. **Vers des religions ou des représentations universelles.** — Dès le Ier millénaire av. J.-C., « l'on voit surgir, à la même époque, à quelques siècles près, une floraison de mouvements idéologiques largement comparables, de l'Italie à la Chine [...] : le confucianisme et le taoïsme, le bouddhisme et le jaïnisme, le mazdéisme ou le zoroastrisme en Iran, le mouvement prophétique israélite, l'orphisme, le culte dionysiaque et le pythagorisme en Grèce [...] [Ces] phénomènes idéologiques nouveaux et concordants attestés au Ier millénaire avant notre ère [...] sont clairement liés à l'entrée de peuples plus ou moins isolés auparavant, de groupes humains, de sociétés dans un réseau de relations suffisamment dense qui les intègre à un certain degré dans un ensemble mondial (du moins dans le cadre de l'Ancien Monde) » (Maxime Rodinson, *De Pythagore à Lénine : des activismes idéologiques*, Paris, Fayard, 1993, p. 38 et 41). Ce que souligne ce texte, c'est l'existence, dès cette époque, de véritables liaisons entre ces mondes – chinois, indien, perse, méditerranéen –, qui en principe, du fait des techniques de communication d'alors, ne sauraient établir au mieux que des contacts très ténus. Pourtant ce premier épanouissement d'universalismes dans des régions éloignées n'est sans doute pos-

sible que parce que se nouent des échanges, permettant à des hommes de confronter leurs visions et leurs interrogations.

Dans cette perspective, les trois grands monothéismes sont chacun les produits d'un environnement très précis. Alors comment accèdent-ils à l'universalité ? Cette universalité a-t-elle le même contenu, le même sens pour les trois ?

— Le *judaïsme* est bien une religion ethnique, c'est-à-dire indissociable d'une communauté humaine particulière, le peuple juif (celui-ci se définissant moins comme une unité politique que comme un ensemble d'hommes et de femmes soudés, à travers les siècles, par leur fidélité à une croyance, à des rites communs et surtout à la Bible). En cette fin de XXᵉ siècle, les juifs restent une poignée (moins de 15 millions). Depuis qu'ils apparaissent dans l'histoire, l'universalité des juifs se fonde paradoxalement sur leur faible nombre : par leur alliance avec le Dieu unique, ils sont le peuple élu, celui qui témoigne de la toute-puissance de ce Dieu ; c'est en conservant un destin terrible et exceptionnel (celui de bouc émissaire), qui ne peut être que le fait d'une minorité choisie, qu'ils témoignent de leur vérité et donc de leur universalité.

— Le *christianisme* naît comme l'une de ces sectes que le monde juif, son mysticisme, sa passion de la controverse créent périodiquement. Par une série de mutations (diffusion dans l'Empire romain, influences grecques, établissement – sous l'empereur Constantin – comme religion officielle de Rome, enfin formation, à la suite de la chute de l'Empire romain, de l'Europe chrétienne), le christianisme se constitue en religion s'adressant à tous les hommes. Lors des grandes découvertes, les Européens apportent avec eux le christianisme et convertissent les populations qu'ils soumettent, ces populations entrant alors, pour les Européens, dans l'humanité – ce qui n'empêche pas beaucoup d'entre elles de subir une exploitation effroyable. En cette fin de XXᵉ siècle, le christianisme, fragmenté entre catholicisme, protestantismes, orthodoxies..., est présent sur les cinq continents. Il reste l'une des marques majeures de l'européanisation du monde. Est-il une religion universelle ? Oui, puisqu'il est ouvert à tous les hommes. Peut-être non, dans la mesure où il véhicule une conception de l'homme et implique du converti qu'il renonce à la part de son identité qui n'est pas conforme à cette conception. Quel est alors l'universalisme authentique ? Celui qui cherche à unir les hommes autour d'une représentation bien arrêtée d'eux-mêmes ? Celui qui reconnaît les hommes dans leur diversité, dans leur totalité ?

— L'*islam* est, lui aussi, à sa naissance, au VIIe siècle, une religion ethnique : son prophète, Mahomet, est un Arabe ; son message (rassemblé dans le Coran, qui, pour les musulmans, a été écrit par Dieu en arabe) s'adresse à d'autres Arabes. L'islam devient une religion universelle... d'abord par la guerre (victoires de Mahomet, puis conquêtes militaires foudroyantes de ses successeurs). Ainsi, de l'Atlantique à l'Asie centrale, se constitue un empire islamique, qui très vite échappe aux Arabes et ne cesse de se déchirer tout en renaissant sous d'autres maîtres, notamment les Turcs (Empire ottoman). Comme celle du christianisme, l'expansion de l'islam se dissocie mal du sort des armes mais elle est aussi due aux marchands parcourant les routes de la Soie ou l'océan Indien. En cette fin de XXe siècle, l'aire de diffusion de l'islam s'étend de l'Atlantique à l'Extrême-Orient. Son universalité partielle tient à la simplicité de ses dogmes, combinée à sa plasticité face aux cultures locales. L'universalité réside aussi dans la capacité de se métamorphoser, tout en demeurant soi-même.

2. **Les empires.** — Tout comme les monothéismes rêvent de rassembler l'humanité sous un même et unique Dieu, les empires veulent l'unir sous un même pouvoir. Il y a, dans beaucoup de constructions impériales, une ambition universelle, cherchant à concilier diversité et unité de l'humanité. La Perse des Achéménides (de 559 à 331) garantit en son sein la pluralité des religions (en –538, Cyrus met fin à l'exil des juifs, imposé par Babylone, et reconstruit le Temple de Jérusalem). Alexandre Le Grand (356-323), qui abat et conquiert la Perse des Achéménides, tente d'ébaucher, dans l'espace qui va de la Grèce à l'Inde, un empire universel : celui-ci, sous un monarque divinisé, serait régi par un syncrétisme fusionnant la raison grecque et les mystères orien-

taux et métisserait systématiquement les populations par des mariages.

Il y a surtout Rome qui hante la mémoire de l'Occident. C'est l'empire exemplaire : sous un ordre inflexible gardé par les légions, religions et cultures – rigueur latine et subtilité grecque, clarté occidentale et mysticismes orientaux – coexistent, se mêlent et s'enrichissent les unes les autres. En 212, l'édit de Caracalla – pris certes non par quelque idéal universaliste mais par souci d'accroître le nombre des contribuables – accorde à tous les habitants de l'Empire la citoyenneté romaine, prophétisant la citoyenneté universelle.

Mais, comme toutes les constructions de l'humanité, les empires en mettent surtout en scène les contradictions. Ainsi tout empire, pour survivre, ne doit-il jamais cesser de s'étendre (ne serait-ce que pour satisfaire son besoin intarissable de richesses) ; mais vient le moment où il n'a plus l'énergie d'élargir son emprise : alors il s'enferme (Rome et son *limes*, la Chine et sa muraille toujours submergée par les nomades et toujours reconstruite), se fige et meurt. Il n'y a pas d'empire sans territoire ; mais ce territoire à la fois insuffisant et trop immense finit par être envahi de mille manières – par des barbares, par des idées subversives, par des mœurs corruptrices... De même la dynamique d'un empire réside-t-elle dans sa capacité à faire vivre ensemble, sous la direction d'une nation impériale, les peuples les plus divers ; or cette formidable machine à associer (surtout si elle n'est plus alimentée par un afflux de ressources) s'épuise, l'empire fatigué se raidit, se cherche une nouvelle légitimité en prétendant transformer ce conglomérat d'ethnies en un ensemble homogène, et, promettant à tous une égalité impossible à concrétiser, se disloque, la nation impériale ne croyant plus en sa mission, les populations soumises revendiquant et obtenant leur liberté. Ces dilemmes des empires annoncent ceux de la mondialisation : le monde fini de cette fin de XXe siècle serait-il un empire achevé, sans terre à conquérir ? Mais alors quel est l'extérieur de ce monde fini ? Cette fermeture de notre planète implique-t-elle un ordre hiérarchisé, impérial, une égalité des peuples ou la guerre de tous contre tous ?

II. — Des grandes découvertes
aux guerres napoléoniennes

Avec les grandes découvertes, s'opère l'européanisation du monde. En « découvrant » la terre, en la renommant ou en la nommant, les Européens non seulement créent, pour tous les hommes, un espace mondial unique mais surtout le structurent avec leurs idées, leurs croyances. La mondialisation, c'est-à-dire le quadrillage de la terre par des liens de toutes sortes, ne se sépare pas de la diffusion planétaire des références européennes.

1. **Le laboratoire américain.** — Depuis la fin du XVe siècle, le continent américain s'impose comme le terrain majeur du choc de l'européanisation de la terre. Alors que l'Asie et l'Afrique, ne serait-ce que par les récits et fables de voyageurs, sont connues de l'Europe, l'Amérique, elle, n'existe pas, pour l'Europe, jusqu'à sa découverte en 1492 par Christophe Colomb (qui, ignorant avoir touché un nouveau continent, croit avoir atteint Cipango, c'est-à-dire le Japon).

Pendant des milliers d'années, l'Amérique, peuplée par des hommes venus d'Asie, est une autre planète, n'ayant aucun contact avec le reste de la terre (d'où de surprenantes lacunes, qu'aurait comblées l'échange avec d'autres civilisations, telle celle de la roue comme instrument de locomotion). L'Amérique, univers clos, monde hors du monde, est préservée, à la fois produisant des cultures extraordinaires (maya, aztèque, inca... parmi beaucoup d'autres) mais encore engluée dans la préhistoire.

La rencontre avec les conquérants européens agit comme un cataclysme pulvérisant les fragiles équilibres de cette zone. Au début du XVIe siècle, en quelques décennies, des poignées d'aventuriers, assoiffés d'or, anéantissent les empires extraordinaires des Aztèques et des Incas. La plus effroyable tragédie est due aux microbes qu'apportent avec eux les Européens : les Indiens, convaincus d'être abandonnés par leurs dieux, non immunisés, tombent par millions.

L'Amérique, vidée de la majorité de sa population originelle (beaucoup des survivants allant mourir dans l'enfer des mines), appartient aux Européens. Alors se déchaînent les rivalités impériales : Espagnols, Portugais, Hollandais, Français, Britanniques, exploitant et manipulant les indigènes, se disputent ces immenses territoires. L'Amérique du Centre et du Sud est espagnole et portugaise ; elle se couvre de couvents et de grands domaines. L'Amérique du Nord, où s'affrontent essentiellement Français et Anglais, finit par revenir aux seconds (traité de Paris, 1763).

Cette Amérique du Nord, refuge (comme d'autres espaces lointains) de dissidences religieuses, devient une terre promise, sur laquelle serait enfin bâtie une société pure des vices de la vieille Europe. A la fin du XVIIIᵉ siècle, en rébellion contre la Couronne britannique, naissent les États-Unis, qui se veulent un nouvel Israël, une République idéale. Les États-Unis à la fois rejettent l'Europe, ses rois, ses noblesses, son cynisme et en même temps l'accomplissent en étant la première incarnation politique des Lumières. Au début du XIXᵉ siècle, l'Amérique latine, s'émancipant de l'Espagne et du Portugal, est également portée par les idées européennes de liberté et de progrès ; mais ici le rêve s'enlise sous le poids de l'héritage colonial, les aristocraties locales utilisant l'indépendance pour asseoir les privilèges que leur contestaient leurs métropoles.

2. **Les premiers liens planétaires.** — Christophe Colomb (1451-1506) n'est que l'un des protagonistes d'une compétition européenne, ayant déjà pour théâtre la terre entière. L'enjeu est de s'affranchir de la route de la Soie, qui relie par l'Asie centrale l'Europe à la Chine, et que contrôlent les Turcs ; il en résulte une course pour découvrir la voie maritime, qui ouvrira un accès libre à l'Extrême-Orient, ce lointain fabuleux d'où viennent épices, soie et or. Le prince portugais Henri le Navigateur (1394-1460), sorte de père des grandes découvertes, monte plusieurs expéditions, qui descendent le long de la côte occidentale de l'Afrique, bravant les mythes les plus effrayants (autour de l'Équateur, l'océan, sous l'effet de la chaleur, serait en ébullition). En 1488, Le Cap est atteint. En 1497, cinq ans après que Colomb, financé par la Castille, et ayant parié sur la route de l'ouest, a atteint non l'Asie... mais les Caraïbes, le Portugais Vasco de Gama, par la route de

l'est, double le cap de Bonne-Espérance puis, en 1498, est le premier Européen à rejoindre l'Inde par la mer. En 1519-1522, Magellan accomplit le premier tour du monde.

Tout au long du XVIᵉ siècle, se tissent les premières liaisons transatlantiques et bientôt transpacifiques (en 1564-1565, entre le Mexique et les Philippines). Ces aventures, qui bouleversent la face du monde, n'impliquent que quelques centaines, quelques milliers d'hommes. Les risques sont immenses : naufrages, maladies, attaques par des pirates ou par les marines des puissances en rivalité... La durée du trajet est de plusieurs mois, parfois de plus d'une année. La rentabilité est très aléatoire. Plus la distance s'allonge, plus les produits susceptibles d'apporter la fortune sont rares : or, métaux précieux... Le bois d'ébène – Africains vendus comme esclaves – est d'un bon rapport, mais il faut prendre en compte les pertes inouïes dues au transport dans des cales fétides. Dans cette appropriation du monde par l'Europe en pleine vigueur, la violence est omniprésente.

3. **Les empires entrouverts.** — Cette première poussée des puissances européennes pénètre peu ou très superficiellement l'intérieur des continents. L'immense Sibérie commence d'être traversée par quelques Russes audacieux au XVIIᵉ siècle. L'Afrique est effleurée ; elle reste jusque dans la seconde moitié du XIXᵉ siècle, selon la formule de Joseph Conrad, un « cœur de ténèbres ».

En 1542 ou 1543, le *Japon* est abordé pour la première fois par un navire européen. De 1549 à 1551, saint François-Xavier, jésuite espagnol, commence l'évangélisation du Japon. Le christianisme se diffuse largement. Bientôt, des conflits, se greffant sur des luttes internes, opposent tant missions catholiques et protestantes qu'ordres catholiques (franciscains contre jésuites) en compétition les uns avec les autres. En même temps naissent les premiers comptoirs commerciaux. Mais très vite c'est le rejet : le Japon admet mal de servir de théâtre de rivalités entre Européens. A partir de 1640 s'opère une fermeture de plus de deux siècles, jusqu'à la décennie 1850. Toutefois, le Japon, soucieux de garder un contact – très contrôlé – avec l'extérieur, autorise les Hollandais, confinés sur l'île artificielle de Deshima, dans la rade de Nagasaki, à commercer avec l'archipel.

Si le Japon est protégé par son insularité, la *Chine* l'est par l'extraordinaire stabilité du poids relatif de sa masse humaine (depuis la nuit des temps, environ un cinquième de la population de la terre). De plus, la Chine, empire du Milieu, est, à ses yeux, le monde, la civilisation ; l'étranger ne peut rien lui apporter, il ne saurait que rendre hommage à son éclatante supériorité. En 1582, le P. Matteo Ricci fonde les missions jésuites en Chine et projette de la convertir au christianisme. Conscient que la Chine est à elle seule une humanité, le jésuite se fait chinois, coule le catholicisme dans les coutumes chinoises. Mais cette remarquable plasticité ne vide-t-elle pas le catholicisme de sa spécificité, le réduisant à des principes vagues ? Au XVIIe siècle, c'est la querelle des rites chinois, exaspérée par la concurrence entre jésuites, dominicains et franciscains. En 1704, puis en 1715 et 1742, le pape condamne la démarche des jésuites. En 1717, l'empereur de Chine interdit la prédication du christianisme. Près de quatre-vingts ans après le Japon, la Chine, à son tour, se referme, incommodée par cette Europe avide et intolérante, prompte à s'approprier le monde et à l'utiliser comme champ de bataille.

4. **Déjà des guerres mondiales.** — Jusqu'au XVIe siècle, la Méditerranée, zone d'une densité exceptionnelle d'échanges, peut se croire le centre du monde (les autres bassins de civilisation, à l'exception, peut-être, de la Perse, n'étant connus que par le filtre de récits fabuleux : Inde, Chine...). A la suite des grandes découvertes, sous Philippe II (1527-1598), la Méditerranée se rétrécit brutalement ; elle n'est plus qu'une petite mer fermée, contournée, marginalisée par l'élargissement spectaculaire des routes commerciales. L'Atlantique devient la nouvelle Méditerranée, tandis que l'océan Indien, longtemps tenu par les marins arabes, se trouve attiré dans un système plus vaste reliant l'Europe à l'Asie.

Tout de suite les puissances européennes, balayant les anciens maîtres de ces espaces, s'en disputent le contrôle. Dès 1493-1494, les terres occidentales – l'Amérique à peine découverte – font l'objet par le pape Alexandre VI puis par le traité de Tordesillas d'un partage entre l'Espagne et le Portugal. Mais déjà surgissent des rivaux : Provinces-Unies, Angleterre, France...

Dans les guerres interminables et répétées que se livrent ces puissances, les enjeux européens et planétaires ne cessent de s'entremêler. L'Angleterre, préservée par son insularité, est la grande gagnante de cette vaste partie. Dans la seconde moitié du XVIIe siècle, elle vainc son premier concurrent sur les mers, les Pays-Bas. Puis, de la guerre de la Succession d'Espagne (1701-1713) aux guerres napoléoniennes à l'aube du XIXe siècle, c'est bien un affrontement de dimensions mondiales qui met aux prises la France et l'Angleterre avec, pour terrains de combat et pour objectifs, l'Europe, mais aussi l'Inde, l'Amérique, la Russie... Si l'Angleterre l'emporte, c'est qu'elle tient les océans et enferme la France dans le continent européen.

En 1500, le réseau européen d'échanges, ayant pour centre Venise, exploite, en prise directe, la Méditerranée, et se prolonge, au nord, vers la Baltique, la Norvège, la Russie, à l'ouest, vers les Canaries et, à l'est, vers les échelles du Levant, la mer Rouge et l'océan Indien. Près de trois siècles plus tard, en 1775, à la veille du déferlement de la révolution industrielle, « la pieuvre des trafics européens » (Fernand Braudel) s'étend à la terre entière mais n'atteint souvent que les rivages, laissant hors de son emprise l'intérieur énorme des continents.

III. — Le grand désenclavement planétaire

Au XIXe siècle, des mutations liées – révolution industrielle, révolution des transports, révolution démographique – se cumulent pour amplifier et accélérer la mondialisation. Finalement la terre entière est prise dans cette dynamique. Or cette dynamique véhicule des idées, qui, formulées et portées par l'Europe, sont reprises, réinterprétées, retournées par les autres peuples, les autres cultures. D'où, au XXe siècle, des conflits planétaires, où se heurtent puissances établies et puissances frustrées, États dominants et populations dominées.

1. **La fin d'un équilibre millénaire entre l'homme et le monde.** — Dans l'univers préindustriel, la quasi-totalité

de l'humanité habite des villages et vit de la terre. Le retour périodique des famines rappelle à l'homme que le manque, la pénurie sont inhérents à sa condition. La mort, notamment par les épidémies, est omniprésente : beaucoup d'enfants ne dépassent pas un an ; l'espérance moyenne de vie n'excède pas trente ans.

Cet « équilibre » se trouve radicalement bouleversé dans l'Europe des XVIIᵉ-XVIIIᵉ siècles par la révolution aux multiples visages de la modernité : approche rationnelle, scientifique de l'homme et de la société ; développement de la médecine et de l'hygiène ; passage de l'artisanat à l'industrie... Cette mutation complexe contribue à la mondialisation de trois manières.

A) *Les moyens de communication*. — Dans le sillage de la révolution industrielle, dans la première moitié du XIXᵉ siècle, apparaissent le chemin de fer et le bateau à vapeur. Le premier, à partir de la seconde moitié du XIXᵉ siècle, pénètre les grands espaces, établit des liaisons permanentes, déverse hommes et marchandises. Auparavant il y a le chariot, premier véhicule des ruées – d'abord vers l'or –, qui, dans l'ouest des États-Unis ou en Afrique australe, chassent les anciens habitants et amènent des Européens. Avec le « cheval de feu », les colonisations deviennent massives et systématiques. En 1869, le premier transcontinental américain est achevé. De 1891 à 1917, la Russie des tsars construit le Transsibérien. Le chemin de fer suscite d'immenses rêves, comme celui de Cecil Rhodes imaginant, à la fin du XIXᵉ siècle, de relier Le Caire au Cap. De même, le bateau à vapeur assure les énormes migrations d'Européens vers les terres nouvelles et d'abord vers les États-Unis.

B) *La quête de débouchés*. — La révolution industrielle promet à l'humanité l'abondance ou même la surabondance. Vers le milieu du XIXᵉ siècle, s'installe le cycle économique typiquement capitaliste : surproduction, saturation des marchés, faillite des entreprises, krach bancaire, débâcle boursière, restructurations, redémarrage de l'activité. Le progrès technique, en multipliant les rendements, brise la fatalité millénaire de la pénurie mais rend plus pressante la recherche de nouveaux marchés. Les puissances européennes, en général par la force, contraignent le monde à s'ouvrir à leurs produits. L'Inde, sous domination britannique, est submergée par les textiles du Lancashire et, sous le choc de cette concurrence, assiste à la disparition de son artisanat. De 1839 à 1842, la guerre de l'opium entre l'Angleterre et la Chine s'achève par la défaite de la seconde, qui doit s'ouvrir notamment aux importations d'opium, venant des Indes, et qu'elle a tenté d'interdire. En 1853-1854, le commodore américain Perry oblige à coups de canon le Japon à accepter de commercer avec les pays occidentaux. A la fin du XIXe siècle, c'est au tour de l'Afrique, la course aux marchés se mêlant aux rivalités coloniales. « Par l'exploitation du marché mondial, la bourgeoisie a donné un caractère cosmopolite à la production et à la consommation de tous les pays. [...] A la place des anciens besoins satisfaits par les produits nationaux naissent des besoins nouveaux qui réclament pour leur satisfaction les produits des pays et des climats les plus lointains. A la place de l'ancien isolement et de l'autarcie locale et nationale se développe un commerce généralisé, une interdépendance généralisée des nations. Et ce qui est vrai de la production matérielle ne l'est pas moins des productions de l'esprit. Les œuvres intellectuelles d'une nation deviennent un bien commun » (Karl Marx et Friedrich Engels, *Manifeste du Parti communiste*, 1847). Ce texte cerne parfaitement la mondialisation : dislocation de toutes les frontières sous la poussée irrésistible de l'industrie et de la modernité ; déracinement des activités humaines ; multiplication et élargissement des flux (de marchandises, d'idées...) ; universalisation de la contrainte de l'échange, *tout* (du plus quotidien au plus sacré) étant voué à être soumis à la loi de l'offre et de la demande et au jeu des prix.

C) *La poussée démographique*. — A l'aube du XIXe siècle, la terre compte un milliard d'hommes ; en 1930, deux ; en 1960, trois ; en 1975, quatre ; en 1987, cinq ; en 1998, six. Ces chiffres constituent l'une des dimensions majeures de la mondialisation. Cet accroissement de plus en plus rapide de la population confirme la mutation des rapports entre l'homme et la nature : sans l'exploitation à grande échelle de la seconde, le premier ne se serait pas multiplié. Au XIXe siècle, cette poussée est essentiellement européenne : entre 1750 et 1900, le nombre des Européens quadruple (de 114 millions – 21 % de la population mondiale – à 423 – 27 %). Or, durant cette même période, l'amélioration des techniques agricoles entraîne un surpeuplement des campagnes, chassant des dizaines de millions d'hommes vers les villes et aussi les poussant à chercher au-delà des mers une vie meilleure. L'Europe déverse son trop plein d'hommes (entre 1880 et 1915, 34,5 millions d'émigrants) d'abord vers les États-Unis, qui alors les réclament, mais également vers toutes les terres plus ou moins libres, de l'Algérie à la Sibérie, de l'Afrique australe à l'Australie.

2. **La diffusion de l'industrialisation.** — La révolution industrielle se cristallise dans l'Angleterre du dernier quart du XVIIIe siècle. La France, elle aussi pays d'intenses innovations, est l'autre laboratoire, mais la tourmente de la Révolution française et des conquêtes napoléoniennes brise, semble-t-il, cette dynamique modernisatrice. Un demi-siècle plus tard, en 1850, l'Angleterre est toujours l'atelier du monde. D'autres pays, d'autres régions se glissent dans la course : Belgique, nord et rivage méditerranéen de la France, Prusse, partie occidentale de l'Autriche, Russie d'Europe... L'espace industriel se limite encore, sur le continent européen, à des enclaves prises dans l'immense permanence des campagnes, des terroirs.

Dans la seconde moitié du XIXe siècle, l'espace industriel s'élargit. L'Angleterre, bénéficiaire d'une considérable avance, s'essouffle. La France, qui promettait d'être la seconde nation industrielle, souffre de sa stagnation démographique et s'enferme dans un protectionnisme frileux (lois Méline, 1892). La Prusse puis, en 1871, l'Allemagne décollent, concurrençant vigoureusement et inquiétant l'Angleterre à partir des années 1890.

Déjà la révolution industrielle échappe à l'Europe. Les États-Unis, à la suite de la victoire du Nord – industriel, protectionniste – sur le Sud – agricole, libre-échangiste – dans la guerre de Sécession (1861-1865), unifient leur espace national, de l'Atlantique au Pacifique (conquête de l'Ouest), et, dès la fin du XIXe siècle, émergent comme la première puissance industrielle de la planète. La Russie décolle dans la décennie 1890. Hors de l'univers chrétien, blanc et colonisateur, seul le Japon, lors de l'ère Meiji (1868-1912), parvient à entrer dans cette compétition pour la modernisation et la puissance.

Cette diffusion de l'industrialisation n'a rien de mécanique ; elle est portée, bloquée, déviée par les facteurs nationaux. Cette vague de fond ne cesse d'être prise dans le chaos du politique. L'ascension de l'Allemagne résulte certes de son effervescence technique, scientifique, intellectuelle, de sa poussée démographique mais aussi d'une soif de revanche contre la France et l'Angleterre, puissances établies, s'étant taillé des empires coloniaux, et face auxquelles l'Allemagne rage d'arriver trop tard dans un monde déjà partagé. Les États-Unis cumulent des atouts exceptionnels (vastes territoires, protection par deux océans, absence d'héritage historique poussant l'avenir à être la répétition du passé, peuplement par des immigrants avides d'un destin meilleur) ; encore ces atouts doivent-ils s'unifier autour d'une ambition, d'un rêve ; or cette cristallisation s'opère bien avec le mythe de la Frontière, cet horizon qu'il faut sans cesse repousser, et la conscience d'avoir reçu de la Providence la mission d'édifier la nouvelle terre promise *(Manifest Destiny)*. La Russie, attirée dans cette dynamique de l'industrialisation, déchaîne (notamment par l'entassement, dans les usines et les villes, de millions de paysans déracinés) des forces, qui, sous le choc de la Première Guerre mondiale, la broieront (révolutions de 1917) et engendreront, avec l'expérience soviétique, le défi majeur aux circuits de la mondialisation capitaliste et la tentative la plus radicale de développement autarcique. Enfin, pourquoi, à la différence de la quasi-totalité de l'Asie dépecée, écrasée par les puissances occidentales, le Japon échappe-t-il à la domination de ces dernières et les défie-t-il (guerre russo-japonaise en 1904-1905) ? Le Japon, conscient qu'il n'y a pas d'autre voie que l'imitation méthodique de l'Occident, se montre le meilleur des élèves (en s'industrialisant, en se dotant d'un parlement, en conquérant un empire), mais son avidité le conduit à affronter, en 1941, le colosse américain, qui, fidèle porte-parole du capitalisme libéral, refuse et brise toute édification d'espaces clos – et donc l'excluant – (sphère de coprospérité asiatique du Japon mais aussi Europe hitlérienne) ; en 1945, le Japon, finalement trop pauvre et trop vulnérable, est écrasé puis reconstruit par son vainqueur et occupant sur le modèle occidental.

3. **Empires et mondialisation.** — Du XVIᵉ au XXᵉ siècle, la mondialisation, c'est-à-dire l'inscription de toutes les sociétés dans une histoire unique, est indissociable de la constitution des empires coloniaux. Les colonisateurs diffusent leurs valeurs, leurs pratiques (par exemple, pour l'Angleterre, du parlementarisme au rituel du thé ; pour la France, des idées de la Révolution française à la baguette de pain). Les colonisés ou plus précisément leurs élites ne peuvent que vouloir s'approprier ces signes de supériorité puis bientôt les retourner contre celui qui les a apportés, qu'il s'agisse des armes à feu ou du droit des peuples à disposer d'eux-mêmes.

Ces empires se font en ouvrant brutalement des continents entiers, de l'Amérique à l'Afrique. En même temps ils substituent aux partages flous des constellations tribales qui les ont précédés des divisions nettes, ces frontières linéaires dont hériteront et que reconnaîtront comme leurs les colonisés lors de leur accession à l'indépendance.

4. **Guerres mondiales et mondialisation.** — Dès la fin du XVᵉ siècle, se dessinent des rivalités planétaires : pour la première fois, des hommes – des Européens – commencent de disposer de techniques leur permettant de traverser et de tenir toutes les immensités océaniques. Les deux guerres « mondiales » (1914-1918, 1939-1945) ne sont donc pas les premières de ce type ; en outre, sont-elles vraiment mondiales ? La Première reste, pour l'essentiel, européenne, avec, certes, l'engagement déterminant des États-Unis aux côtés des puissances occidentales. La Seconde déferle sur l'Europe, l'Asie et l'Afrique méditerranéenne ; l'Amérique latine constitue un enjeu périphérique ; quant aux États-Unis, du fait de leur sécurité géographique, de leur richesse et aussi de leur force militaire, ils sont à nouveau l'allié décisif.

Les deux guerres sont perçues comme mondiales en premier lieu par l'ampleur des ressources mobilisées. Les empires – hommes, matières premières... – sont mis au service des combats. Le chemin de fer, l'automobile (chars), la marine (sous-marins ; porte-avions), l'aviation élargissent spectaculairement les dimensions des champs de bataille, embrassant les plaines européennes de Berlin à Moscou ou des océans entiers (l'Atlantique lors des deux guerres mondiales, le Pacifique durant la Seconde). Les besoins des machineries militaires provoquent une course aux produits stratégiques (d'abord et surtout au pétrole – en 1942, Japon s'emparant des Indes néerlandaises, Allemagne hitlérienne lançant une offensive vers Bakou et rêvant même d'atteindre le Moyen-Orient).

Ces affrontements, nés en Europe (mais aussi, en ce qui concerne la Seconde Guerre mondiale, en Asie) consacrent l'avènement d'une scène géopolitique mondiale unifiée. La Première Guerre mondiale oppose notamment des puissances, qui, par leurs empires, tiennent de vastes morceaux de la planète (Angleterre, France, Russie), à une puissance, l'Allemagne, qui considère qu'elle ne dispose pas de l'espace auquel elle a droit. L'issue du conflit, avec l'intervention décisive des États-Unis aux côtés de l'Entente, montre que désormais la paix et l'équilibre en Europe ne dépendent plus des seuls États européens mais exigent un colosse extérieur. En 1919-1920, les vainqueurs redessinent l'Europe, ainsi que le Moyen-Orient et la distribution des colonies en Afrique, et ébauchent un pacte ouvert en théorie à tous les peuples (Société des nations, SDN). La Seconde Guerre mondiale met à nouveau aux prises à des puissances établies (Angleterre, France) des puissances frustrées (Allemagne, Italie et Japon). La Chine face au Japon est un protagoniste essentiel. La victoire revient à deux États-continents, l'Union soviétique et les États-Unis. En 1945, ce qui est en cause, c'est bien la terre entière : quelle Europe ? Quelle Asie ? Quel ordre universel (création de l'Organisation des Nations unies, ONU) ? Quel avenir pour les empires coloniaux ?

De la fin des années 40 à la fin des années 80, l'antagonisme Est-Ouest est bien planétaire : États-Unis et Union soviétique, dans leur vaste partie d'échecs (ou de poker), utilisent tous les conflits de tous les continents ; l'enjeu est bien l'humanité, son ralliement au capitalisme libéral ou au marxisme-léninisme.

IV. — Un espace mondial unique ?

Depuis la fin de la Seconde Guerre mondiale, trois bouleversements contribuent à l'établissement d'un espace mondial unique. Mais cette unification produit fragmentations, rivalités et conflits.

1. **La décolonisation.** — De la fin des années 40 au milieu des années 70, les empires coloniaux disparaissent, laissant derrière eux des traces ineffaçables : tous les peuples soumis, accédant à l'indépendance, ne retrouvent pas leur univers antérieur mais vivent dans des cadres importés (d'abord, l'État à l'européenne). La communauté internationale, qui se limitait au monde dit civilisé (Europe et Amérique issue de l'Europe), s'étend à l'humanité. A travers une centaine de nouveaux États, des centaines de millions d'hommes, dont la colonisation a disloqué les sociétés, leurs clôtures, deviennent parties prenantes d'une histoire mondiale unifiée.

Il en résulte des antagonismes à plusieurs dimensions, locales et mondiales, internes et externes, politiques et culturelles. Il y a d'abord les combats pour l'indépendance politique – souvent attirés dans le bras de fer Est-Ouest (Indochine, Afrique...). Puis éclatent les disputes pour le contrôle des ressources, le partage des revenus en résultant (ainsi autour du pétrole, de son prix lors des chocs des années 70). Enfin, la colonisation ayant pénétré, contaminé tous les aspects de la vie (des configurations étatiques aux rapports entre la collectivité et l'individu), et par conséquent chaque phase de décolonisation en appelant une autre plus profonde, émergent, surtout à partir des années 70, des confrontations entre civilisations (d'abord entre l'Occident et l'Islam ou, plus exactement, les islamismes dont l'ambition est d'éradiquer les apports corrupteurs de cet Occident et de ne garder que l'outil de sa supériorité : la technique).

Chaque conflit global (entre l'Occident et le Sud, entre le capitalisme démocratique et les communautarismes fondamentalistes...), au lieu de s'incarner dans des blocs compacts et ennemis, se décompose à l'infini, opposant des États mais aussi déchirant des sociétés, et même révélant les contradictions de chacun. Le phénomène islamiste agit comme une onde de choc, dressant notamment l'Iran khomeiniste contre les pays occidentaux mais aussi ébranlant tant les sociétés musulmanes en pleine modernisation (en particulier, laïcisation, émancipation de la femme) que les sociétés occidentales (et d'abord celles ayant une population musulmane); de plus, l'islamisme n'est qu'un des révélateurs des multiples réactions ou revendications identitaires, par lesquelles des groupes (ethniques, nationaux, religieux...) prétendent restaurer une authenticité polluée d'abord et surtout par l'occidentalisation. De même, chaque expérience locale (par exemple, en ces années 90, l'établissement de la paix entre Israël et Arabes ou l'édification d'une Afrique du Sud privant les données raciales de toute implication politique) devient l'une des péripéties du drame planétaire : comment faire vivre ensemble, dans une harmonie relative, des peuples de plus en plus imbriqués, entremêlés, réclamant les mêmes territoires et richesses, exaspérant leurs différences – en fait bien érodées par les contacts avec l'Autre – par peur de se dissoudre dans la fourmilière humaine ?

2. **Un système mondial d'échanges.** — De la fin de la Seconde Guerre mondiale aux années 70, l'échange international – commercial, financier, technique – reste limité à l'espace occidental : Amérique du Nord et Europe de l'Ouest, le Japon étant le troisième protagoniste, regardé tout de même comme à part parce qu'asiatique et parce que s'imposant très vite dans des secteurs (des chantiers navals à l'automobile) que les vieilles nations industrielles considéraient comme leurs. Durant ces décennies, le monde communiste se développe en autarcie. Quant au reste de la planète, il se décolonise.

Les années 70 enclenchent un formidable élargissement des réseaux d'échanges. L'enrichissement des économies occidentales, au cours des Trente Glorieuses (1945-1975), stimule ou amplifie l'internationalisation des grandes entreprises en quête de marchés et de moyens financiers. Les deux chocs pétroliers apportent brutalement des recettes massives aux États exportateurs d'hydrocarbures ; ces derniers, nouveaux riches « recyclant » leur argent dans les circuits internationaux, deviennent des parties prenantes du jeu économique international. Beaucoup d'États s'endettent lourdement et empruntent au-delà de leurs frontières. Dans la zone Asie-Pacifique, se forme la première vague des Nouveaux pays industriels – NPI –, les Quatre Dragons (Corée du Sud, Taiwan, Hong-Kong, Singapour). Enfin, l'abandon des parités fixes pour les taux de change flottants contribue à retirer aux États le contrôle des flux financiers internationaux et à ériger les marchés (et donc les innombrables opérateurs : banques, organes collecteurs d'épargne, particuliers...) en arbitres des monnaies.

3. **L'écroulement des modèles d'autosuffisance.** — En 1989-1991, le bloc communiste en Europe orientale s'écroule, puis, sous ce coup, l'Union soviétique, à son tour, éclate. Ainsi prend fin, certes dans l'attente d'une révolution universelle, la plus formidable expérience de développement autarcique du XXᵉ siècle. Également, dans ces années 80, les États du Tiers Monde, ayant opté pour une voie analogue (priorité à l'édification d'une base industrielle, assurant l'indépendance économique), soit comprennent qu'il leur faut s'ouvrir, se brancher sur les flux internationaux (Chine mais aussi Mexique, Inde, Vietnam...), soit basculent dans la crise et même le chaos (Algérie, pensant financer par la rente pétrolière son décollage, et se ruinant dans des projets inutiles).

A l'inverse, ceux qui ont choisi la compétition s'envolent : dans le sillage des Quatre Dragons, se bousculent l'Indonésie, la Malaise, la Thaïlande... Il n'existe donc pas, semble-t-il, d'alternative à la division internationale du travail : le développement ne peut se réaliser dans un espace fermé, hors de toute dépendance, mais implique de se soumettre à l'échange, d'exploiter ses avantages comparatifs, ces activités où l'on dispose d'une meilleure productivité que les autres.

La mondialisation, multiplication des flux de toutes sortes, s'épanouit. Les valeurs qu'elle diffuse sur toute la planète sont occidentales : liberté et droit au bonheur de l'individu, loi du marché, démocratie... Mais ces références n'appartiennent plus à l'Occident. L'Orient, c'est-à-dire ce qui n'est pas l'Occident, à la fois rejette et s'approprie ces éléments. Le déferlement de la modernité occidentale, terrible acide dissolvant les traditions, les mythes, les identités, les amène à se réinventer, à se métamorphoser. C'est l'ère des métissages : races mais aussi cuisines, mœurs, religions, idées, tout se mélange pour produire des synthèses bizarres et instables. La mondialisation ne signifie ni la paix, ni la fin de l'Histoire ; au contraire, elle ne fait que donner aux passions et aux rivalités humaines une scène unique : la terre entière.

Chapitre II

L'EXPLOSION DES FLUX

Le trait fondamental de la mondialisation réside dans l'explosion des *flux* de toutes sortes, ceux-ci se faisant plus denses, plus divers et allant de plus en plus loin. En cette fin de XXᵉ siècle, le gros de ces flux circule entre trois pôles : l'Amérique du Nord, l'Europe occidentale et l'Asie maritime ; mais déjà l'espace Atlantique, qui concentrait l'essentiel de ces mouvements de la fin de la Seconde Guerre mondiale aux années 70, se trouve concurrencé et dépassé par l'espace Pacifique, le spectaculaire croissance de l'Asie maritime entraînant une multiplication des flux tant entre les États de la région qu'entre celle-ci et les autres zones de richesse.

La distribution de ces flux est donc très inégale, intense dans les parties développées de la terre, se réduisant à des ruisseaux dans les régions pauvres, marginalisées comme l'Afrique, l'Asie centrale ou l'Amérique andine. Comme l'eau, ces flux sont mobiles ; qu'un obstacle les arrête (principalement les frontières étatiques), ils peuvent tout aussi bien se tarir devant l'imperméabilité de la barrière que la contourner et se glisser par le moindre trou (ainsi les produits ou les écrits interdits, les migrants clandestins se faufilant entre les contrôles policiers). Ces flux, par des procédés complexes, se diversifient et se métamorphosent sans cesse : les entreprises peuvent exporter et/ou construire des usines dans les pays d'importation ; l'argent, de sale, d'illégal, peut être blanchi...

Ces flux ont besoin de *réseaux*, liaisons permanentes, organisées. Ces réseaux sont innombrables : à un extrême, les dispositifs reconnus, officiels (par exemple, les missions diplomatiques d'un État) ; à l'autre extrême, le pullulement de structures hétéroclites, mouvantes (diasporas, mafias). Ces réseaux couvrent toutes les activités sociales, des échanges entre savants aux mécanismes de réservation de billets d'avion. Flux et réseaux peuvent se combiner, s'associer ou se concurrencer, s'affronter. Ils naissent, vivent et meurent.

Quatre types de flux créent, font vivre la mondialisation : ils concernent **les hommes, les biens et services, l'argent,** enfin **les informations, les idées, les représentations mentales.**

I. — Les hommes

La mondialisation résulte d'abord des migrations humaines, de l'appropriation de la terre par l'homme et des luttes féroces qui l'accompagnent (ainsi, en Amérique, en Afrique australe ou en Australie, entre colons européens et précédents occupants mais aussi entre colonisateurs européens – par exemple, guerre des Boers entre Britanniques et Afrikaners, 1899-1902).

1. **Des migrations intercontinentales aux migrations Sud-Nord.** — De la seconde moitié du XIXe siècle à la crise des années 30, se font les grandes migrations européennes vers les immensités considérées comme libres et à coloniser (ouest des États-Unis, Australie...). La conjoncture est unique : poussée démographique de l'Europe ; besoin et volonté de certaines puissances de coloniser des espaces par des hommes dans leur dépendance (par exemple, aux États-Unis, immigrants européens et asiatiques prêts à tout pour échapper à la misère ou à la persécution ; en Algérie, Alsaciens-Lorrains amenés par la défaite de 1871 ; en Australie, bagnards britanniques de Botany Bay devenant les fondateurs d'une nouvelle nation) ; enfin, mutation des moyens de transport.

En cette fin de XXe siècle, la terre est occupée et partagée. Les très vastes zones sans maître (océans au-delà de l'emprise étatique, Antarctique) mais aussi celles relevant d'une souveraineté reconnue (Sibérie, Patagonie, nord du Canada...) sont protégées – irrémédiablement ? Provisoirement ? – par leurs caractères naturels, climatiques. Tout ce que l'homme, dans l'état actuel de ses techniques, peut habiter ou aussi exploiter – dans des conditions satisfaisantes de rentabilité –, il l'a fait sien. Les régions les plus fécondes mais également les plus vulnérables aux caprices du temps – d'abord les deltas constamment menacés d'être submergés – concentrent d'énormes masses humaines. Après les déplacements du XIXᵉ siècle, l'humanité s'enracinerait à nouveau, d'autant plus fixée qu'elle est distribuée entre près de 200 États, chacun avec un territoire bien délimité et en principe contrôlé.

La mondialisation est indissociable de la contraction de l'espace et du temps. Les médias – radio et surtout télévision – permettent à chacun de comparer sa situation avec celle des autres (ainsi – illustration extrême –, à l'époque du rideau de fer, les Allemands de l'Est captant les images de l'Ouest, de son abondance, le pouvoir communiste pensant, par cette tolérance, calmer les masses et même les dégoûter du gaspillage capitaliste).

Les aléas de l'histoire, la diffusion hasardeuse de la technique, de la richesse se traduisent aujourd'hui par la proximité, l'imbrication de multiples espaces de richesse et de pauvreté : Europe occidentale et Europe orientale ; Europe méditerranéenne et Maghreb ; États-Unis et Mexique ; Asie maritime et Asie continentale... Il en résulte des tensions typiques de la mondialisation, processus formidable et inachevé de réduction et de révélation de toutes les distances : d'un côté, des populations jeunes, à la fois fascinées et exaspérées par l'Occident arrogant, où tout paraît facile ; de l'autre côté, des sociétés vieillissantes, hantées par la perte de leurs avantages. Les migrations de cette fin de siècle ne peuvent plus être provoquées par des rêves de terres ouvertes ; il reste tout de même à profiter des miettes, des poubelles, des emplois, des salaires dont ne veulent pas les riches ou plutôt les pauvres des pays riches. Or, pour la quasi-totalité des sociétés, des pouvoirs, l'étranger, le migrant, s'il peut être nécessaire comme main-d'œuvre ou chair à canon, représente une menace : il apporte avec lui sa misère, ses particularités et parfois la subversion. D'où l'une des tensions de la mondialisation : alors que jamais les hommes n'ont pu avoir autant le sentiment et la capacité de pouvoir chercher leur bonheur ailleurs, les États, surtout prospères, se barricadent.

2. **La prolifération de l'urbanisation.** — Mondialisation, industrialisation et urbanisation relèvent d'une même dynamique d'artificialisation de la terre, d'exploitation systématique par l'homme. Le néolithique, qui clôt la préhistoire, attache l'homme à la terre : le sédentaire l'emporte sur le nomade ; même si ce dernier bâtit des empires, sa domination est comme effacée, digérée par les civilisations agraires (ainsi les Mongols conquérant la Chine et absorbés par elle). Dans cet univers où la quasi-totalité de l'humanité est paysanne, les villes sont des îlots fragiles, promptes à se résorber dans les périodes de crise (ainsi lors de la fin de l'Empire romain). Mais les villes sont les lieux du pouvoir, de la richesse ; c'est à partir, autour d'elles que se mettent en place les réseaux de messagers, de caravanes, de bateaux, que se constituent les économies-mondes.

En l'an 2000, près de la moitié de l'humanité habitera des villes. C'est là un formidable bouleversement par rapport à l'équilibre issu du néolithique. Cette urbanisation est spectaculaire et s'accélère. En un siècle, la population d'agglomérations peut décupler (ainsi Pékin : 1 million d'habitants en 1900 ; près de 9 millions, en ces années 90 ; Rio de Janeiro : 800 000 habitants en 1900 ; 6 millions en ces années 90). Ce phénomène, longtemps limité aux pays industrialisés, est désormais planétaire, la plupart des mégalopoles du prochain millénaire se trouvant dans le Sud (Mexico : 31 millions d'habitants ; São Paulo : 26 ; Tokyo : 24 ; New York, Shanghai : 23...). Cette dynamique s'explique notamment par la surpopulation des campagnes, la recherche d'un sort meilleur. Ainsi, en cette fin de XXe siècle, le développement très rapide de la Chine s'accompagne de la migration de millions de paysans en surnombre, attirés par l'effervescence des agglomérations de la Chine côtière.

Sous ce déferlement, les villes se répandent, se décomposent, sont bordées ou pénétrées par d'immenses bidonvilles. Le partage entre villes et campagnes, s'il a jamais existé, se dissout dans ces zones grises sans fin, où coexistent cités-dortoirs et villages désertés, accueillant des résidences secondaires. Des constellations urbaines sans centre ni limites se perdent dans des alignements de constructions plantés au carrefour d'autoroutes *(edge cities)*.

Dans cet univers, l'homme est déraciné, isolé (la mondialisation se caractérisant à la fois par l'encombrement – d'automobiles, de déchets, d'images... – et l'atomisation, la destruction des liens sociaux). D'où la recréation de tissus sociaux « sauvages » et précaires : bandes d'enfants et d'adolescents, mafias, sectes... Cette anarchie peut accoucher de mouvements politiques : dans l'Iran du shah, au cours des années 70, la contestation khomeiniste recrute ses militants dans la jeunesse à demi scolarisée, exclue de l'enrichissement insolent assuré par les pétrodollars et prétendant restaurer un islam pur et dur ; dans l'Algérie des années 90, le Front islamique du salut (FIS) puise dans les jeunes, entassés dans les immeubles (bourgeois, du temps des Français) d'Alger, et ressentant la mondialisation – c'est-à-dire la dépendance à l'égard des circuits économiques internationaux, l'occidentalisation des mœurs – comme la source de toutes leurs frustrations.

II. — **Les biens et les services**

La mondialisation, c'est aussi la constitution de la terre entière en un espace commercial unique. De 1950 à 1995, si la production industrielle mondiale est multipliée par plus de sept, les échanges de produits manufacturés le sont par vingt-six. Ces deux évolutions illustrent le spectaculaire enrichissement de la planète et, en interaction avec ce phénomène, la croissance vertigineuse des flux industriels. Depuis la seconde moitié des années 80, plus de soixante pays en développement, ayant choisi un modèle fermé, s'ouvrent de leur propre initiative ; ils rassemblent environ la moitié de la population mondiale ; il s'agit notamment de la Chine, de l'Inde, de l'Indonésie, du Brésil, de la Russie.

La mondialisation affecte produits et services de trois manières.

1. **L'industrialisation.** — Celle-ci implique une production de masse. Or, comme le prophétisait Marx, la mondialisation, c'est-à-dire l'inscription de toutes les activités humaines dans un système global d'échanges, contribue à transformer ce qui était sacré, exceptionnel, particulier, artisanal, réservé à un cercle restreint, en quelque chose

de banal, de facilement accessible que l'on vend et achète. D'où la diffusion, l'universalisation de la logique industrielle.

A) Le *tourisme*, dimension essentielle de la mondialisation, illustre bien cette dynamique d'industrialisation. Dès la première moitié du XIXᵉ siècle, apparaissent les premiers touristes modernes, cherchant dans le voyage l'expérience qui leur fera vivre la pluralité de la vérité (ainsi les *Mémoires d'un touriste* de Stendhal en 1838). Dans la seconde moitié du XIXᵉ siècle, le développement de la bourgeoisie, le train et le paquebot, la création d'entreprises spécialisées – la première, l'agence *Cook*, évidemment britannique, naît en 1841 – font du tourisme la distraction des classes possédantes ; tandis que Philéas Fogg, en gagnant son pari de faire *le tour du monde en 80 jours* (Jules Verne, 1873), prouve que la technique (européenne) relie les coins les plus perdus et unit la terre, les tribulations de *la famille Fenouillard* (Christophe, 1889-1895) montrent que les voyages les plus lointains sont désormais accessibles aux gens les plus moyens. C'est l'époque de l'exotisme. Seuls des privilégiés – militaires, diplomates, écrivains, journalistes... – vont au bout de la terre. L'homme de la rue vibre par récits ou films interposés. Le grand reportage, mi-véridique, mi-romanesque, triomphe.

En cette fin de XIXᵉ siècle, le tourisme *se mondialise*. Entre 1950 et 1990, si la population mondiale double, les déplacements touristiques sont multipliés par quatorze. Le premier signe de cette mutation est peut-être la création, en 1950, du *Club Méditerranée*, mettant lagons et palmiers à la portée de salaires modestes.

Les avions long courrier, bon marché (charters), réduisent massivement les coûts de transport. Les systèmes de réservation à la fois se globalisent et tendent à se concentrer entre les mains de quelques opérateurs ; ces derniers, manipulant des millions de commandes, acquièrent de puissantes capacités de pression sur les compagnies aériennes, au moment où celles-ci sont engagées dans une compétition mortelle.

Tout lieu « pittoresque » fait l'objet d'aménagements (hôtels, clubs de vacances...). Les sites les plus mystérieux, brutalement désacralisés, accueillent des hordes de visiteurs en short et en espadrilles, l'appareil de photo, la caméra et désormais le camescope permettant aux familles de s'immortaliser en ces lieux. Comme dans beaucoup d'autres domaines, la massification, dont bénéficie l'individu moyen, s'accompagne de la diversification, de la spécialisation afin de satisfaire un éventail de plus en plus large de goûts et de pouvoirs d'achat (itinéraires culturels, chasses d'images ou chasses réelles, aventures organisées et même tourisme sexuel). Les paysages deviennent autant de décors pour des rêves adaptés au revenu de chacun.

Le tourisme, inventé par les Occidentaux, leur reste longtemps propre. En cette fin de siècle, dans le sillage de ces élèves disciplinés que sont les Japonais, les Asiatiques, entrant dans l'ère de la consommation, se convertissent au tourisme, nouveaux riches anxieux de ne manquer aucune mode. Cette clientèle, vouée à être de plus en plus nombreuse et prospère, représente un magnifique marché pour les entreprises de tourisme. Ici aussi, l'Occident, qui jouit, dans ce secteur, d'une grande avance, se découvre concurrencé par l'arrivée de groupes asiatiques.

B) Les *drogues* fournissent un autre exemple de ces articulations dynamiques entre consommation de masse, industrialisation. Longtemps, l'usage des drogues a obéi à des règles strictes (ainsi la coca réservée à l'Inca) et ne s'est guère répandu au-delà de groupes confidentiels (ainsi l'opium des poètes ou des amateurs d'exotisme). Certes, dès la seconde moitié du XIXᵉ siècle, l'invasion de la Chine par l'opium — fumé tant par les mandarins que par les *coolies* — indique qu'une société entière, celle du plus vieux des peuples, peut, sous le coup de son écrasement par l'Occident, s'intoxiquer.

En cette fin de XXᵉ siècle, les drogues connaissent six évolutions, déjà observées pour le tourisme, et typiques de la mondialisation : prolifération des éléments de synthèse (du crack à l'ecstasy), afin de mieux capter des clientèles de plus en plus hétéroclites par leurs goûts et leurs ressources financières ; industrialisation de la production par les seigneurs de la guerre du Triangle d'Or ou les « cartels » colombiens ; élargissement et liaison des zones de fabrication et de trafic (ainsi l'Afrique devenue, notam-

33

ment du fait de son anarchie politique, une plaque tournante de ce commerce) ; accroissement et diversification des consommateurs, ceux-ci se recrutant dans toutes les couches sociales ; crise des dispositifs législatifs et policiers, en particulier sous la pression des flux (la croissance des quantités saisies démontrant moins l'efficacité des contrôles que l'augmentation vertigineuse des masses en circulation) ; enfin, mise à nu des ambiguïtés de la notion de drogue (les mêmes sociétés prohibant haschich et héroïne et autorisant le recours massif à des drogues légales – alcool, tabac, tranquillisants). L'explosion des flux déstabilise toutes les structures existantes et souligne la relativité de toutes les normes, de tous les interdits.

2. **Les métamorphoses.** — La multiplication des contacts, des échanges encourage ou impose transformations et métissages. Les cuisines, pourtant enracinées dans des terroirs, dans des civilisations, se rencontrent, ces interpénétrations pouvant disloquer des conventions (ainsi les recettes orientales contestant la séparation occidentale du salé et du sucré). Des produits culinaires, en se mondialisant, se conforment à un goût universel ou plutôt élaboré comme tel (ainsi la pizza américaine). Les musiques, puisées dans les folklores, se déforment, se modifient en circulant ; de même que des mélodies typiques adaptées à un goût qui serait mondial et véhiculées par des interprètes, donnant à un charme particulier un impact planétaire (par exemple, le *latin lover* Julio Iglésias, le chanteur d'opéra Luciano Pavarotti) !

En cette fin de XXᵉ siècle, les produits mondiaux, se vendant sous toutes les latitudes, restent très rares : Coca-Cola, hamburgers de *Mac Donald's*... Ce n'est pas un hasard si ces produits sont originaires des États-Unis ; pour un jeune Russe ou Chinois, les consommer, c'est, pendant un moment, accéder au paradis de l'abondance et de la modernité.

3. **La *commoditization*.** — En anglais, les *commodities* (mot venu du vieux français *commodités*) constituent les ingrédients de base de l'activité économique, ceux sans lesquels la machine ne fonctionnerait pas : par exemple, le pétrole, l'acier, l'aluminium... Du point de vue écono-

mique, ces *commodities* présentent deux caractéristiques : leur prix, ses variations reflètent les fluctuations du cycle économique (d'où des alternances de hausses et de baisses très fortes) ; en outre, sur la longue durée, le prix de ces *commodities* – qui incorporent peu de valeur ajoutée – se dégrade par rapport à celui des biens contenant de la valeur ajoutée (notion de détérioration des termes de l'échange).

La *commoditization* définit le phénomène selon lequel des produits à forte valeur ajoutée voient leur prix évoluer comme celui de *commodities*. Pourquoi cette contamination ? Quel rapport avec la mondialisation ? La *commoditization* touche aussi bien les circuits intégrés, les téléviseurs, les magnétoscopes que l'automobile. Ces biens requièrent des investissements considérables (de la conception à la vente). Or la férocité de la concurrence, la précarité de toute avance technique, le raccourcissement de la durée de vie de ces produits entraînent l'instabilité et la chute des prix.

De l'entre-deux-guerres à l'apogée de la société de consommation dans les années 60, l'automobile s'impose, en Europe occidentale, aux États-Unis puis au Japon, comme l'industrie innovatrice, créant des emplois et fécondant l'ensemble de l'économie ; toute nation développée se doit d'être présente dans ce secteur. En cette fin de siècle, l'automobile moyenne n'est plus qu'un assemblage d'éléments standardisés (châssis, moteur...), certains équipant plusieurs modèles, plusieurs marques. La mondialisation, inséparable d'autres mutations (robotisation, conception par ordinateur...), contribue à la *commoditization*, avec l'entrée dans la compétition de pays du Tiers Monde (d'abord Corée du Sud puis Asie du Sud-Est), pour lesquels l'automobile, tout comme, par exemple, le textile, devient un secteur-tremplin pour s'affirmer face à l'Occident développé et même l'envahir.

III. — L'argent

L'argent est fait pour circuler. Il est bien l'un des langages spontanément universels, intégrant toute chose, toute activité dans une échelle unique de valeurs : « Combien ça coûte ? » L'argent est l'un des grand vecteurs de la mondialisation : en conférant un prix à tout – de la brosse à dents à la vie humaine –, il fait de tout l'objet de comparaisons, de calculs. L'argent, par lequel tout se vend et s'achète, désacralise, réduisant les valeurs « éternelles » à des contraintes irrationnelles. De plus, l'appropriation de l'espace, l'établissement des liaisons terrestres, maritimes, aériennes réclament la mobilisation de capitaux, la sophistication des outils financiers – ce qui s'accompagne souvent de faillites, de scandales.

Tout comme « la grande transformation » (Karl Polanyi) du XIXe siècle, c'est-à-dire la première ébauche du marché universel, la fin du XXe siècle, depuis les années 60, marque, en ce qui concerne la finance, une mutation sans précédent : le domaine financier émerge comme le premier champ réellement mondialisé.

1. **L'enrichissement du monde et l'internationalisation des acteurs.** — Cette poussée de mondialisation naît d'abord de la croissance des Trente Glorieuses (1945-1975). De nouveaux besoins, de nouvelles possibilités prennent corps.

Du côté de l'offre, l'enrichissement des sociétés occidentales accroît certes la consommation mais aussi l'épargne. Des institutions – sociétés de placement, caisses de retraite... – se mettent en place pour drainer ces ressources vers les marchés financiers. De plus ces organismes, soucieux de diversifier leurs choix, d'équilibrer opérations rentables et opérations sûres, regardent peu à peu au-delà des frontières. Le vieillissement des populations occidentales, l'alourdissement du poids des retraites, la nécessité de les financer de plus en plus par la capitalisation (c'est-à-dire par l'épargne du futur retraité ou du retraité) amplifient cette internationalisation. Depuis le début des années 70, d'abord aux États-Unis, c'est le développement spectaculaire des fonds de pension collectant et gérant des sommes colossales. Les trois plus gros fonds américains disposent de 1 000 milliards de dollars, soit près des deux tiers du Produit intérieur brut français. Ces institutions, en jouant sur toutes les grandes bourses, en détenant des parts du capital de multinationales, deviennent des acteurs financiers internationaux majeurs.

De même, dans les années 70, les hausses des prix du

pétrole enrichissent brutalement les États exportateurs. Une partie de ces recettes est recyclée dans les circuits internationaux, c'est-à-dire prêtée ou placée (pétrodollars). Ici aussi, il y a entrée dans la finance internationale d'un nouveau groupe d'opérateurs. En outre, ce sont des États du Tiers Monde ; ils semblent annoncer une redistribution du pouvoir financier, celui-ci n'appartenant plus exclusivement à l'Occident mais tendant à se mondialiser. L'Arabie saoudite acquiert l'une des quotes-parts les plus importantes du Fonds monétaire international (FMI) et ainsi rejoint le cercle jusqu'alors occidental des gardiens de l'ordre monétaire. Mais la mondialisation ne cesse d'être prise dans les rapports de force, les structures du système international : non seulement les pays occidentaux s'adaptent à cette nouvelle donne pétrolière (par exemple, en accroissant leurs ventes aux États pétroliers) mais encore ces derniers, tels des gagnants à la loterie, gaspillent leur pactole dans des projets pharaoniques et s'endettent même. Or ces États ne peuvent revenir en arrière, tout leur équilibre économique et social étant irréversiblement bouleversé par l'afflux des pétrodollars.

Du côté de la demande, il y a notamment la croissance, l'internationalisation des entreprises. Un tournant historique se produit dans la seconde moitié des années 80. Jusqu'alors cette internationalisation se fait essentiellement par le commerce. A partir de 1985 l'investissement direct émerge comme un moteur majeur. Les canaux de l'internationalisation se multiplient : exportations-importations ; acquisitions d'entreprises et fusions ; création de sites *ex nihilo*. Ces mutations sont aidées, amplifiées par l'explosion et la globalisation des activités financières. En cette fin de XXe siècle, les flux financiers sont quarante fois supérieurs aux mouvements commerciaux.

Durant ce dernier quart de siècle, l'endettement des États s'accroît massivement. Les États-Unis laissent leurs déficits publics se creuser dans les années 80 mais, grâce au dollar, première monnaie de transaction et de réserve, et à leur puissance, ils mobilisent aisément les épargnes étrangères et d'abord japonaise. Entre 1980 et 1995, l'endettement des pays riches (États appartenant à l'OCDE) s'élève de 41 % de leur Produit intérieur brut à près de 75 %.

Par ailleurs, dans les années 70, la détente Est-Ouest permet aux États communistes d'emprunter à l'Occident, celui-ci se persuadant qu'ainsi ils s'ouvriront et se libéraliseront (théorie des *armes de la paix*) ; en fait, cet argent sert au mieux à calmer le mécontentement des populations, puis, dans les années 80, le remboursement de cet endettement impose des mesures d'austérité, déclenchant la contestation ouverte et la chute en 1989 des régimes est-européens. Quant aux États du Tiers Monde, ils se lancent dans d'ambitieuses politiques de développement ; dans les années 80, leur endettement est analysé comme une bombe à retardement, menaçant de provoquer un krach mondial. L'endettement est bien un vecteur de mondialisation : les emprunteurs, qui vivaient souvent dans une semi-autarcie (notamment le bloc communiste), se trouvent attirés dans les réseaux internationaux ; leurs économies, leurs sociétés (tout comme celles des États pétroliers par les pétrodollars) sont irrémédiablement liées et transformées, toute tentative de retour à l'autosuffisance ne pouvant s'accomplir que par la fermeture, la contrainte et la pénurie (le seul exemple d'une telle expérience demeurant l'Iran de Khomeini).

En août 1982, puis fin 1994, le Mexique traverse deux crises financières graves, le conduisant à la lisière de la faillite. Lors de ces deux moments, le monde financier, conscient de l'extraordinaire resserrement des interdépendances, redoute un krach encore plus profond et global que celui d'octobre 1929, la chute du Mexique étant suivie de celle des autres États endettés et menant à la dislocation de l'ensemble du système. Dans les deux cas, le pire ne se produit pas : si, par rapport aux années 30, le système (alors déjà quasiment mondial) a bien élargi son emprise, il a appris à concevoir des mécanismes de maîtrise des crises (programmes d'urgence, plans de rééchelonnement des dettes...). La mondialisation se définit également comme une série de processus, certes hasardeux, d'organisation de la planète.

En cette fin de XXᵉ siècle, banquiers et financiers se demandent pour la énième fois si le système économique mondial ne va pas se briser contre un manque de capitaux : d'un côté, les besoins explosent (dettes publiques, investissements de plus en plus lourds des entreprises pour rester dans la course technologique, financement des infrastructures notamment dans les pays émergents) ; de l'autre côté, les pays longtemps exportateurs de capitaux réorientent leur épargne (ainsi l'Allemagne devant reconstruire l'ex-Allemagne de l'Est).

2. **La dislocation des règles et des contrôles.** — Dans les années 70, le régime des parités fixes entre les monnaies (Accords de Bretton Woods, juillet 1944) est abandonné pour celui des taux de change flottants (Accords de Kingston, janvier 1976) : désormais la valeur des monnaies est établie par les marchés et donc ne cesse de varier en fonction de l'offre et de la demande. Puis, dans les années 80, ce sont le démantèlement des contrôles des changes, la déréglementation visant à supprimer, dans les domaines internationalisés ou ayant vocation à l'être (finance, notamment), toutes les règles limitant la concurrence tant interne qu'externe.

Cette disparition ou au moins cet assouplissement des règles officielles du jeu constituent l'un des signes de la formation d'un système financier mondial échappant aux États. Ainsi, dès les années 60, le marché des eurodollars prend corps, à partir de dépôts en dollars hors des États-Unis ; d'abord pour les multinationales américaines mais aussi pour toutes les entreprises manipulant des flux en dollars, les eurodollars représentent une source de crédits au-delà des contrôles nationaux. Selon le même mécanisme (dépôts de monnaie hors de l'État émetteur), apparaissent les eurodeutschemarks, les eurofrancs... Dans les années 70, arrivent les pétrodollars. Dans les années 80, déferlent les narcodollars, dont les trafiquants de drogue effacent les origines douteuses en les recyclant dans des emplois réguliers (blanchiment). Ainsi se multiplient les fleuves autonomes d'argent.

Dans un tel univers, le maintien de contrôles sur les flux financiers par les États les pénalise. Ces contrôles font fuir les capitaux ; ces derniers redoutent toujours de se trouver bloqués et vont spontanément là où les entraves au mouvement sont les moindres.

3. **Une frénésie d'innovations financières pour manipuler des sommes croissantes.** — Depuis que l'argent existe, les

préoccupations de ses manipulateurs restent les mêmes : le faire circuler et fructifier (par le prêt, le crédit...) ; se prémunir contre les risques de telles opérations. Seuls changent les montants impliqués et les techniques, le principe étant toujours le même : se servir du temps, anticiper les évolutions. En cette fin de siècle, tout facilite, accélère la circulation de l'argent ; en même temps, il s'agit de se protéger contre – et aussi d'exploiter – les incertitudes de ces mouvements de plus en plus rapides.

Telle est la *titrisation* (*securitization*, en anglais). Ce mécanisme assure la transformation d'avoirs financiers en « titres » négociables sur les marchés. La titrisation peut être mobilisée pour n'importe quelle donnée économique (ressources d'entreprises, mais aussi immeubles, terrains, forêts, pollutions...). La titrisation contribue à la création de marchés, facilitant la mobilité des choses, des dettes, des patrimoines et les intégrant dans les circuits mondiaux.

L'illustration la plus spectaculaire de cette mutation financière est fournie par les *produits dérivés*. Ce sont tous les produits et instruments financiers qui ne correspondent pas à une négociation au comptant (physique) mais se traduisent par un contrat d'achat ou de vente d'une quantité d'un actif quel qu'il soit (profits, obligations, matières premières, métaux précieux...) à une date dans le futur et à un prix déterminés à l'origine. Ainsi les *swaps* permettant à une entreprise, moyennant rémunération, d'échanger pendant une période déterminée des risques de change ou de taux. Ces contrats à terme – *futures*, en anglais – apparaissent dès la seconde moitié du XIXe siècle sur les marchés de matières premières (Chicago, céréales et viandes ; Londres, métaux et grands produits végétaux). A partir du début des années 70, la volatilité des taux d'intérêts, des cours de devises provoque la croissance vertigineuse de ces contrats (en 1972, contrat sur devises lancé par le Chicago Mercantile Exchange – CME ; en 1975, contrat sur taux d'intérêt lancé par le Chicago Board of Trade – CBOT). Depuis les années 80, de tels marchés s'ouvrent à Londres, Paris (en 1986, MATIF), Francfort, Sidney, Tokyo... Les transactions connaissent une croissance vertigineuse ; les volumes traités, de l'ordre de 500 milliards de dollars en 1987, dépassent 4 000 milliards de dollars au milieu des années 90.

4. La connexion des marchés. — La connexion des marchés est imposée par ces pressions formidables pour rendre aussi fluide que possible la circulation de l'argent. En quelques secondes, en quelques minutes, les capitaux se déplacent d'une entreprise à une autre, d'une place à une autre. Cette globalisation financière n'est pas créée par la technique – qui n'est qu'un instrument –, mais elle est facilitée par elle : introduction de l'ordinateur, dématérialisation des titres, machines de transfert automatique, réseaux de transmission de données, diffusion de la carte de crédit...

En octobre 1986, la *City* de Londres, soucieuse d'être toujours la première à s'adapter aux mutations financières, réalise ce qu'elle appelle son *big-bang* : les contraintes réglementaires, les commissions fixes sont abolies ; les transactions se font non plus de personne à personne, mais d'ordinateur à ordinateur, grâce à des écrans fonctionnant en continu et reliés à tous les autres centres financiers de la planète. Les autres bourses ne sauraient que suivre, emportées dans une compétition frénétique entre elles.

Cette lutte entre les marchés établis se trouve amplifiée par la prolifération de systèmes électroniques de négociation. Ces réseaux soit se greffent sur les bourses *(Intisnet, Lattice...),* soit créent des dispositifs concurrents (*Tradepoint* face au Seaq de la bourse de Londres, *Globex* face au MATIF de Paris), soit assurent la transaction de nouveaux produits (par exemple, *Fitzgerald* pour les actions des sociétés américaines non cotées).

IV. — Les représentations mentales

La mondialisation, surtout en cette fin de XXᵉ siècle, est indissociable d'une multiplication des liens d'information et de communication. Ici aussi l'espace et le temps se trouvent massivement contractés : il y a encore deux siècles, au moment où apparaît le premier moyen de transmission rapide, le télégraphe aérien (1793), il faut des heures, des jours, parfois des semaines pour que soient connues des victoires ou des défaites ; aujourd'hui, de tels événements sont suivis en direct, la télévision les retransmettant à la terre entière. Tout, semble-t-il, facilite, accélère la communication : multiplication et diversification des canaux (du téléphone à la télécopie ou au système *Internet*) ; dislocation des monopoles publics sous le coup d'une concurrence multiforme (entre industriels, entre opérateurs, entre réseaux) ; chute des prix. Toute l'humanité, certes de manière très inégale, se trouve pénétrée par ces flux : si seule une très mince couche d'hommes d'affaires, de savants, d'intellectuels, de responsables politiques – les privilégiés de la mondialisation – se sent pleinement à l'aise dans ce tourbillon, il n'existe plus de terre isolée.

En 1980, naît la première chaîne de télévision à vocation planétaire, *Cable News Network* (CNN). Elle diffuse vingt-quatre heures sur vingt-quatre de l'information et a pour ambition d'être reçue partout, maintenant ainsi tous les hommes dans une rumeur planétaire continue, engendrant peut-être à terme une conscience universelle. Pour le moment, CNN, illustration exemplaire d'une terre câblée, atteint surtout les grands hôtels, temples de la globalisation, identiques sous toutes les latitudes et dans lesquels se croisent, interchangeables (ordinateur et désormais téléphone portables), les cadres de la mondialisation.

Cette circulation de plus en plus rapide et large des nouvelles, des images, des idées suscite toutes sortes de réactions et d'enchaînements ; ainsi la mondialisation souligne-t-elle l'unité de la planète mais elle ne supprime pas la position particulière de chaque individu.

1. **L'émotion.** — Aujourd'hui tout drame – tremblement de terre, famine, guerre... – est instantanément, directement connu sinon de tous, au moins de beaucoup. En résulte-t-il des émotions planétaires, le téléspectateur se sentant le frère de ceux qui, à des milliers de kilomètres, sont frappés par le malheur ? Rien n'est moins sûr. Du soulèvement des Grecs contre l'autorité ottomane dans les années 1820 à la guerre d'Espagne (1936-1939), de la guerre américaine du Vietnam dans les années 60 à la lutte contre l'apartheid en Afrique du Sud dans les années 80, l'impact international précis de chacun de ces moments forts est variable, touchant et mobilisant ceux qui ont des raisons précises et toujours très diverses d'être

atteints, mais laissant indifférente la grande majorité, surtout absorbée par ses difficultés immédiates et quotidiennes. Alors qu'y a-t-il de changé entre, par exemple, le début du XIXe siècle et la fin du XXe ? Non seulement la puissance, le rayonnement des moyens d'information et de communication mais aussi le degré, les modalités d'intégration des hommes dans l'espace public international. Il ne se cristallisera donc d'émotions authentiquement universelles que lorsque tous les hommes, ou au moins déjà le plus grand nombre d'entre eux, seront affectés de façon semblable dans leur situation concrète par un même fait et surtout le vivront, l'assumeront comme quelque chose de commun, appelant une solidarité globale.

2. **L'imitation.** — L'imitation est l'un des mécanismes fondamentaux de l'histoire humaine ; par l'imitation, le pauvre peut se croire l'égal du riche, le vaincu défaire le vainqueur, le sous-développé accéder au progrès. A nouveau la mondialisation ne crée certes pas les phénomènes d'imitation, mais les facilite, les amplifie, les acccélère et peut-être leur confère une nouvelle dimension, une nouvelle valeur.

Ainsi en est-il de la *contrefaçon*, qui est bien un mode d'imitation : des biens rares, coûteux, produits d'une marque, sont copiés à l'identique en fraude ; ces faux sont vendus en grandes quantités et à des prix plusieurs fois inférieurs à ceux des originaux. Mais quels liens entre contrefaçon et mondialisation ? Ce sont la formidable réduction des distances, la brutale dépréciation des écarts – géographiques, techniques, sociaux.... Le contrefacteur – en général une entreprise du tiers monde – dévalorise, désacralise les objets concernés : expressions d'une civilisation supérieure, ils ne sont plus que des choses susceptibles d'être fabriquées en milliers, en millions d'exemplaires. En outre, qui sont leurs premiers acheteurs ? Des touristes venus des pays mêmes où sont conçus les originaux, et s'offrant au coût le plus bas des signes de prestige social.

De même, en cette fin de siècle, l'imitation engendre ou paraît engendrer l'unification, la mondialisation de la jeunesse autour de goûts, de rites communs (le blue jeans, le hamburger de *Mac Donald's*, le concert s'achevant dans le scintillement des flammes des briquets, le tatouage, la moto...). Cette diffusion des comportements occidentaux peut s'étendre aux mœurs (contestation des parents, émancipation des jeunes filles, droit au libre choix du conjoint). Mais le particulier – l'environnement, la culture, la condition sociale, la psychologie de chacun – disparaît-il ?

3. **Le rejet.** — Tout comme la mondialisation s'établit par des phénomènes sans fin d'imitation, elle provoque tout autant des réactions de rejet. Mais ici que d'ambiguïtés, que de contradictions !

La colonisation est l'un des vecteurs majeurs de la mondialisation, en faisant entrer de force les peuples non européens dans une histoire devenant de ce fait réellement planétaire. La décolonisation est bien le rejet de la domination des puissances européennes, en même temps, elle poursuit la dynamique de la mondialisation, les colonisés légitimant leur combat par des idées européennes (droit des peuples à disposer d'eux-mêmes, égalité des hommes...).

De même, aujourd'hui, la poussée de mondialisation (effondrement des expériences autarciques, élargissement des aires industrialisées d'abord dans la zone Asie-Pacifique) s'accompagne de réactions intégristes (par exemple, courants islamistes). Ces mouvements rêvent de restaurer un âge d'or (pour l'islamisme, l'*umma* du Prophète et des tout premiers califes) et donc d'effacer toutes les traces corruptrices de l'histoire ultérieure ; or leurs raisonnements, leurs programmes intègrent comme malgré eux des références occidentales (développement économique, justice sociale, démocratie...), tout simplement parce que ces mouvements sont des enfants de leur époque – la fin du XXe siècle – et ne peuvent se penser hors de ce présent.

4. **Le bricolage, le métissage.** — Toute religion, toute philosophie, toute idéologie est un bricolage, combinaison plus ou moins originale, plus ou moins remarquable de concepts, d'images, d'histoires puisés dans les croyances ou les pensées antérieures. La mondialisation, en multipliant les contacts entre les hommes, entre les

sociétés, stimule décomposition et recomposition de ces constructions.

Ainsi les populations colonisées se convertissent-elles ou plutôt sont-elles converties à la religion de leur maître. Dans le sillage de cette soumission, dans le brassage des populations qui l'accompagne (ainsi les esclaves noirs amenés d'Afrique en Amérique et n'emportant avec eux que ce qu'ils peuvent garder dans leur tête), s'élaborent des cultes, des syncrétismes. L'imaginaire des colonisés, broyé par les colonisateurs, se soumet aux représentations de ces derniers mais aussi les travaille et se les approprie.

En cette fin de XXᵉ siècle, la mondialisation, sur fond d'effondrement des communismes et d'échec des tiers-mondismes, ne se dissocie pas du triomphe des idées occidentales : individualisme, démocratie, économie de marché... Mais toute pensée unique appelle son détournement, sa subversion. Tel est le paradoxe du nationalisme : conçu par l'Europe, répandue par elle sur toute la planète, il se transforme en vecteur ou en étiquette de multiples revendications particularistes, chacune se formant à partir d'un passé spécifique et bénéficiant, par la qualification de nationalisme, d'une résonance universelle.

Chapitre III

LES ACTEURS
DE LA MONDIALISATION

Est acteur toute entité – individu mais aussi entreprise, église, État... – élaborant, exprimant et traduisant en actes des intentions ; de ce point de vue, toute personne morale implique des règles, des mécanismes lui permettant de formuler une volonté, celle-ci étant présentée, incarnée par un chef, un président.

Pour ces acteurs, la mondialisation impose, en cette fin de XXe siècle, un environnement en mouvement perpétuel. Cet environnement se caractérise, d'abord, par une bousculade d'informations, chacun se livrant alors à un jeu sans fin de comparaisons (par exemple, entrepreneur comparant les coûts de main-d'œuvre, opérateur financier les monnaies et les titres, État la productivité de son économie à celle des autres États...). Il y a ensuite la diversité, la flexibilité des flux, les uns (notamment les entreprises) exploitant, par la mobilité, ces possibilités, les autres (d'abord les États) enracinés dans un espace et confrontés au déplacement permanent des circuits. Enfin, même si subsistent des barrières de toutes sortes (d'abord les frontières entre les États), la terre entière constitue bien un espace, qui doit être pensé comme unique, l'ordre économique, financier, politique pouvant à la limite être perturbé à partir de n'importe quel coin de la planète (ainsi territoires offrant justement l'avantage d'être des lieux hors la loi : paradis fiscaux, États-poubelles, narco-États).

Quatre principaux types d'acteurs à la fois sont transformés par la mondialisation et se servent d'elle pour leurs buts propres : **les individus, les entreprises, les États et les mouvements transnationaux.**

I. — Les individus

A l'aube du XIXᵉ siècle, le juriste Portalis, présentant le Code civil, évoque « la liberté naturelle qu'ont les hommes de chercher le bonheur partout où ils croient le trouver [...] le genre humain ne forme qu'une grande famille ; mais la trop grande étendue de cette famille l'a obligée de se séparer en différentes sociétés, qui ont pris le nom de peuples, de nations, d'États... » En cette fin de XXᵉ siècle, la mondialisation permettrait-elle aux individus de disposer concrètement du droit fondamental de s'installer et de vivre là où, à leurs yeux, ils peuvent le mieux s'épanouir ?

Mais la mondialisation n'est que contradictions. Le développement des médias et surtout la télévision invitent chacun à comparer les économies, les sociétés, les civilisations. Les moyens de transport contractent les distances. L'imagination et la ruse parviennent à se jouer de toutes les barrières. Mais la mondialisation est indissociable de l'appropriation de la terre, de son partage entre des groupes, des entités qui ne cessent de se la disputer que lorsque, après d'interminables combats, ils finissent par admettre qu'ils n'ont pas d'autre alternative que de coexister.

1. **Le déracinement.** — Pour l'individu, la mondialisation, indissociable de la modernité occidentale, de l'urbanisation et de l'industrialisation, entraîne l'arrachement. La pénétration des coins les plus perdus par les réseaux de la mondialisation contraint leurs habitants à bouger : du fait de l'amélioration de la santé, les populations augmentent ; avec l'accroissement des rendements, beaucoup de bras deviennent superflus ; les produits, les sons, les images venus d'ailleurs suggèrent des mondes lointains et excitants. Alors il faut partir. Le néolithique, en faisant de l'homme un paysan, un jardinier, l'a attaché à la terre ; la mondialisation le pousse sur les routes.

L'individu mondialisé est déraciné. C'est le paysan chinois, désormais en surnombre, chassé par la modernisation accélérée des campagnes, et échouant dans les gares des monstrueuses agglomérations. C'est le voyou de Rio de Janeiro ou de Bogota, vivant du trafic de drogue, et étant ainsi le maillon de l'un des innombrables maillages de la mondialisation. C'est l'enfant prostitué de Bangkok, ayant pour clients de très honorables Européens déversés par les charters du tourisme du sexe. C'est la jeune Philippine, employée de maison chez un nouveau riche du golfe Persique. C'est aussi le cadre de multinationale, conquérant ses galons en bondissant de filiale en filiale, de continent en continent.

2. **La solitude et les communautés mouvantes.** — L'individu mondialisé n'est que l'accomplissement extrême de l'homme occidental, seul et libre, détaché de tous les liens hérités et n'ayant que ceux qu'il a forgés lui-même. Les communautés implantées dans un espace, façonnées par le temps – la famille (dans ses formes classiques), le village, le bourg, l'entreprise familiale... – sont remplacées par des associations fonctionnelles (firmes mais aussi filières de migration), instables (bandes, sociétés constituées par des personnels expatriés).

D'un côté, l'individu peut se croire pleinement indépendant : il n'appartient plus au groupe ; il le choisit et, s'il le souhaite, le quitte. De l'autre côté, dans cette foule solitaire (selon la formule du sociologue américain David Riesman), être d'un groupe peut assurer la survie (ainsi pour les adolescents abandonnés des proliférations urbaines) ou fournir un formidable point d'appui (ainsi les diasporas, offrant à leurs membres un réseau vivant, des lieux d'accueil et d'apprentissage). Pour ces quadrillages informels, souvent bâtis par des peuples exclus, opprimés, la mondialisation représente une magnifique occasion, les gagnants étant ceux qui, installés aux carrefours de la planète, exploitent les possibilités de circulation, les écarts (de coûts, de législation...).

3. **L'apatride, figure clé de la mondialisation.** — Dans le monde actuel, partagé entre des États souverains, c'est la nationalité qui donne, selon la formule de la philosophe germano-américaine Hannah Arendt, « le droit d'avoir des droits ». Sans ce lien avec un État, l'individu, dépourvu de protecteur, n'a plus de droits, ni même d'identité ; il est supporté, toléré ; il ne peut rien exiger, il ne peut que quémander. Or, toujours selon Arendt, cette personne

déplacée, cet apatride est la figure emblématique du
XXᵉ siècle. Aujourd'hui bousculé, entassé dans des camps,
l'exilé, le réfugié ne serait-il pas le héros de la mondialisation, ne trouvant pas sa place dans une terre divisée par
les frontières, mais porteur d'une citoyenneté universelle ?

II. — Les entreprises

L'internationalisation des entreprises est aussi ancienne
que l'échange. Dès l'Antiquité, le commerce des métaux
précieux ou même de produits essentiels (blé, huile...)
donne naissance à des réseaux reliant des zones éloignées.
Du milieu du XVIᵉ siècle au XIXᵉ, l'expansion européenne
se fait notamment par les grandes compagnies, chargées
de l'exploitation méthodique des territoires conquis, et
collectant dans ce but d'énormes capitaux. Dans la
seconde moitié du XIXᵉ siècle, cette internationalisation
économique acquiert une ampleur tout à fait nouvelle :
ouverture systématique des espaces par les puissances
européennes ; début, avec l'industrialisation, d'une production de masse provoquant une course aux débouchés ;
accroissement des besoins en matières premières qu'il faut
parfois chercher loin (charbon, fer, caoutchouc mais déjà
aussi pétrole) ; formation des premiers trusts (sidérurgie,
chimie...), ébauche des premières multinationales... En
cette fin de XXᵉ siècle, la mondialisation prolonge, appro-
fondit cette internationalisation, mais, pour les entreprises, que représente-t-elle de neuf?

1. **L'avènement d'un espace mondial de compétition.** —
De l'automobile à l'agro-alimentaire, de l'aéronautique
aux télécommunications, des transports aériens au tourisme, toute grande entreprise se trouve contrainte de rai-
sonner à partir de la demande et de l'offre mondiales, de
leurs perspectives d'évolution.

La *demande* se déplace, s'élargit. Si les marchés des
pays riches paraissent saturés, l'Asie d'abord et surtout,
l'Amérique latine à un moindre degré se présentent
comme des gisements extraordinaires de consommateurs.
Ainsi la bouteille d'eau minérale, l'automobile, le téléphone, attributs des classes moyennes occidentales, se
mondialisent-ils... En outre, ces nouveaux consomma-

teurs, loin d'être des imitateurs passifs, sont avides d'acquérir ce qu'il y a de plus sophistiqué (par exemple, succès du téléphone portable dans les Nouveaux pays industriels – NPI). Cette poursuite frénétique du bien-être individuel, revanche contre des siècles de misère et d'oppression, entraîne des besoins considérables d'équipements collectifs (routes, aménagements urbains, aéroports...).

Dans cet accroissement spectaculaire des demandes, certains clients sont perçus comme décisifs. Dans les années 70, à la suite des chocs pétroliers, ce sont les pays du Golfe, qui veulent tout (le luxe et aussi des canons), et dépensent alors sans compter. En cette fin de siècle, les batailles mettent aux prises des colosses (par exemple, l'Américain *Boeing* et l'Européen *Airbus* se disputant le marché mondial des avions commerciaux) et se déroulent autour de grandes opérations, impliquant des technologies de pointe, et assurant au gagnant des contrats colossaux (ainsi l'installation d'un Train à grande vitesse – TGV – en Corée du Sud, la modernisation par *Singapore Airlines* de sa flotte). Dans ces marchandages, le client de plus en plus sollicité fait monter les enchères, en exigeant d'assurer une partie de la fabrication, de bénéficier d'un partage du savoir ou même en posant des conditions politiques (ainsi, en ces années 90, la Chine mettant en concurrence les pays occidentaux et laissant entendre qu'elle privilégierait ceux qui ne l'interrogeraient pas sur son respect des droits de l'homme).

L'*offre*, elle aussi, se mondialise. Des industries glissent hors de l'orbite occidentale : certes le textile, la sidérurgie mais aussi une branche aussi symbolique que l'automobile, source majeure d'emploi et signe de prospérité à l'époque des Trente Glorieuses. Pour les pays d'Asie, qui multiplient les projets grandioses dans ce secteur (souvent avec la coopération des grandes entreprises occidentales, anxieuses de ne pas laisser échapper des milliards de consommateurs), fabriquer des voitures, n'est-ce pas égaler puis battre l'Occident ?

Cet élargissement de l'offre ne se limite pas aux produits mais s'étend aux services. Ainsi le tourisme : selon l'Organisation mondiale du tourisme, en 1950, l'Europe accueille les deux tiers des touristes du monde, les Amériques 30 % et l'Asie moins de 1 % ; en 1990 (500 millions de touristes), l'Europe en reçoit encore plus de 60 %, les Amériques 20 % et l'Asie 12 % ; en 2010 (un milliard de touristes), l'Europe en aura moins de 30 %, les Amériques 20 % et l'Asie également 20 %. Cette ascension de l'Asie signifie l'émergence de groupes asiatiques dans ce domaine, tout aussi bien rivalisant que s'associant avec les firmes occidentales.

2. **La terre entière comme terrain de déploiement des entreprises.** — Effondrement des prix de transport, souci d'abaissement des coûts de main-d'œuvre, impératif d'adaptation immédiate et constante aux variations de la demande, tout pousse les entreprises à ignorer les distances, à exploiter toutes les occasions, à faire sans cesse évoluer leurs réseaux, de la matière première au consommateur final.

L'évolution des *flux d'investissements internationaux* met bien en lumière la dynamique complexe de la mondialisation. Dans les années 80, ces flux progressent très fortement, se développant essentiellement au sein de la triade (Amérique du nord, Europe occidentale, Japon) ; il s'agit, pour les multinationales de cet ensemble, de consolider, d'accroître leurs positions au sein de cet espace sous le choc de plusieurs mutations (révolutions de l'informatique et des télécommunications ; restructurations profondes des entreprises ; constitution de vastes zones d'échanges – achèvement du marché unique de la Communauté européenne, Association de libre-échange nord américaine...). Durant cette décennie, le poids relatif des multinationales ouest-européennes et japonaises s'accroît (pour les premières, 44,8 % du stock d'investissements directs à l'étranger – IDE – en 1985, 52,6 % en 1991 ; pour les secondes, 3,8 % en 1985, 12,1 % en 1991 – le Japon rattrapant un important retard d'internationalisation), tandis que les entreprises américaines perdent leur écrasante prépondérance (en 1985, 42,6 % du stock d'IDE ; en 1991, 25,6 %). A partir des années 90, la partie cesse d'être exclusivement occidentale et se mondialise : poussée des pays asiatiques développés ; retour en force des firmes américaines...

La mondialisation implique en permanence des *déloca-*

lisations, transferts par les entreprises d'activités vers des zones à plus bas coût de production. Ce phénomène n'est pas nouveau ; il s'inscrit dans la dynamique capitaliste de division internationale du travail, poussant les multinationales à exploiter les avantages comparatifs dont chaque pays dispose. Depuis les années 70, de nombreux facteurs se cumulent pour amplifier considérablement les délocalisations : réduction des barrières aux investissements étrangers ; facilité des transports et écroulement de leurs prix ; entrée dans les circuits internationaux de régions jusqu'alors en marge (péninsule Ibérique, Asie maritime, Chine et, à la suite de la chute du bloc soviétique, anciens pays de l'Est) ; mutations de l'informatique et des télécommunications contribuant, elles aussi, à la contraction des distances ; enfin, part écrasante de l'immatériel – recherche-développement, marketing... – dans la valeur d'un bien manufacturé. En cette fin de XXe siècle, les délocalisations touchent non seulement les biens matériels (en particulier le textile) mais aussi les productions immatérielles (saisie au kilomètre de textes, opérations comptables...), les écarts de salaire pouvant être de 1 à 10 entre pays développés et pays en développement, les uns comme les autres se faisant concurrence (par exemple, Inde et Iran pour les tapis).

La mondialisation appelle des *firmes-réseaux*. Celles-ci tendent à n'être plus que des centres d'impulsion et de distribution, externalisant tout ce qui ne constitue pas le noyau dur de leurs compétences (ainsi l'entreprise américaine d'articles de sport *Nike* faisant appel à une quarantaine de sous-traitants, principalement en Asie). Dans ce système, tout lien (par exemple, entre une marque de vêtements et ses fabricants) est précaire, soumis à une négociation permanente.

3. **La mondialisation des entreprises, une réalité encore très limitée.** — Le poids des multinationales dans l'économie mondiale donne lieu à des évaluations très approximatives (selon la Conférence des Nations Unies pour le commerce et le développement – CNUCED –, en ces années 90, les 300 premières entreprises mondiales – en très grande majorité occidentales – disposeraient d'un quart des ressources productives mondiales).

La quasi-totalité de ces multinationales et d'abord le gros de leurs propriétaires, leurs enceintes de direction restent enracinées dans une nation. De plus, le facteur géographique subsiste : la plupart de ces entreprises travaillent et vendent dans leur région, réalisant plus de la moitié de leur chiffre d'affaires sur leur marché intérieur. La globalisation est hérissée d'obstacles, de risques : tout simplement l'éloignement ; les barrières officielles... et officieuses ; les différences de cultures. L'échec est souvent au rendez-vous. La globalisation exige des entreprises qu'elles soient des caméléons : américaines aux États-Unis, japonaises au Japon, françaises en France... *Mac Donald's*, société de restauration créée aux États-Unis en avril 1955, est l'une des rares entreprises globales, offrant, dans tous ses restaurants (en 1997, près de 22 000 dans 100 pays, soit 40 millions de clients par jour), les mêmes spécialités (non sans adaptations subtiles aux goûts locaux). *Mac Donald's* peut être présenté comme une fédération, chaque établissement étant indépendant mais passant avec la maison mère un contrat aux obligations très contraignantes.

D'un côté, il y a bien mondialisation des marchés : les entreprises, d'abord dans les secteurs où l'innovation réclame des investissements de plus en plus lourds et risqués, doivent atteindre de plus en plus de consommateurs ; en même temps, l'enrichissement général (mais certes très inégal) de la planète mutiplie le nombre de ces consommateurs (par exemple, petites et moyennes bourgeoisies et aussi classes ouvrières des Nouveaux pays industriels – NPI). D'un autre côté, cette mondialisation n'efface pas les fragmentations tant de fait que de droit : sensibilités culturelles ; organisation des tissus économiques ; existence même des États, maîtres des marchés publics (par exemple, dans beaucoup de ces États, télécommunications, secteur stratégique dans l'ère dite postindustrielle).

En cette seconde moitié des années 90, l'une des formes majeures de la mondialisation des entreprises réside dans la naissance d'alliances tripolaires, associant trois groupes, américain, européen et asiatique. L'objectif est de disposer d'un pied dans chacun des trois grands espaces d'intégration économique (Europe, autour de l'Union européenne ; Amérique du nord, autour de l'Association de libre-échange nord-américaine – ALENA ; enfin Asie maritime, autour du Japon et de la Chine). Ces alliances se constituent d'abord dans les secteurs où se cumulent des techniques abaissant considérablement les coûts (moyens à gros débit : Jumbojets, câbles sous-marins), un fort potentiel de croissance, des processus de déréglementation, d'ouverture des marchés et évidemment une compétition féroce : transports aériens (ainsi l'Allemand *Lufthansa*, l'Américain *United Airlines* et le Thaï *Thaï Airways International*) ; télécommunications (ainsi *World Partners* avec l'Américain ATT, l'Européen *Unisource* et plusieurs compagnies asiatiques dont le colosse japonais NTT)... Ces premiers regroupements en appellent d'autres. Des interrogations demeurent : ces alliances sont-elles viables et durables ? Elles mettent ensemble des monstres, chacun avec ses règles, ses pratiques, sa culture. Ne risquent-elles pas d'être des lieux autant de rivalité que de coopération ?

III. — Les États

L'État, dans sa forme contemporaine, se fonde sur un territoire aux limites relativement fixes (frontières) ; il a la charge de la population habitant ce territoire ; enfin il est souverain, n'étant en principe soumis à aucune autorité supérieure, et étant reconnu comme tel par les autres États. La colonisation de la terre par les puissances européennes puis la décolonisation entraînent une diffusion universelle de ce modèle institutionnel (près de 200 États se partageant aujourd'hui la quasi-totalité des terres émergées). Mais, sous cette étiquette « État », que de réalités diverses, des micro-États se constituant par effet d'imitation (océan Pacifique) aux États-continents constamment menacés d'éclatement (Russie, Chine...), des édifices multiséculaires (Japon, France...) aux structures bricolées par les colonisateurs (Amérique, Afrique) !

La mondialisation perturbe l'ensemble des fonctions de l'État et donc sa légitimité même ; mais, loin d'anéantir cet État, elle en reformule le rôle.

A) *La sécurité.* — Comme le montre le philosophe anglais Hobbes dans le *Léviathan* (1668), le fondement de l'État réside d'abord dans sa capacité à garantir la paix civile entre ceux placés sous son pouvoir et à protéger ces derniers contre tout agresseur étranger. Selon la formule du philosophe-sociologue allemand Max Weber (1864-1920), l'État moderne a *le monopole de la contrainte physique légitime* : lui seul détient le droit de faire la police à l'intérieur et la guerre à l'extérieur.

Or la mondialisation, multiplication des flux, contribue à la *porosité des frontières*. Cette porosité résulte tant de la pression physique des flux (comment, par exemple, contrôler les millions d'individus qui, chaque jour, transitent par les aéroports internationaux ?) que du choix de la quasi-totalité des États – notamment après la chute ou la mutation des régimes communistes – de s'ouvrir le plus possible à ces flux (de produits, de touristes, d'investissements, d'idées), sans l'apport desquels il ne saurait y avoir d'enrichissement. Or la plus parfaite des sécurités ne requiert-elle pas la fermeture hermétique de l'espace national, celui-ci étant alors à l'abri de toute pollution (drogues, armes, pensées subversives...) ? Mais se clore, n'est-ce pas se condamner à l'appauvrissement, au sous-développement ? L'État reste responsable de la sûreté du territoire mais en a-t-il encore les moyens ?

Par ailleurs, la mondialisation ou plutôt tout ce qu'elle véhicule en cette fin de XXe siècle déstabilise de manière désordonnée la *mission de défense nationale*. Sur une terre désormais partagée entre des États en principe souverains, égaux et bénéficiant de la légitimité populaire, toute entreprise de conquête n'est-elle pas vouée à la réprobation immédiate et à une punition exemplaire (ainsi, en 1990-1991, l'Irak de Saddam Hussein, s'emparant du Koweït, et se retrouvant au ban de la communauté internationale) ? De plus, tous les États, même les États-Unis, se sentent attirés dans une compétition de plus en plus sévère et, de ce fait, évaluent de plus en plus rigoureusement le fardeau de leur défense ; la protection du territoire tend à devenir secondaire par rapport à la capacité de s'adapter au jeu économique mondial. Enfin la mondialisation implique la recherche de mécanismes de sécurité collective, ayant pour logique ultime le retrait à l'État du droit d'usage de la force et son transfert à des dispositifs internationaux (comme, par exemple, l'Organisation des Nations Unies).

B) *La législation.* — L'État souverain est également un espace indépendant de législation, celle-ci étant établie, au moins dans les démocraties, par le peuple ou par ses représentants. Cette souveraineté législative de l'État est, elle aussi, affectée par la mondialisation.

La mondialisation, multiplication des échanges, entraîne un besoin de règles de jeu – formelles ou informelles – entre les opérateurs ; ces normes sont extrêmement diverses, intervenant dès qu'il y a échange international. Certaines sont fixées directement entre des acteurs privés et parfois sont conçues pour se soustraire aux lourdeurs étatiques (ainsi, pour le règlement de litiges entre entreprises, le spectaculaire développement de l'arbitrage, afin d'échapper aux machines judiciaires nationales). Comme le montrent les cycles de négociation du GATT (Accord général sur les tarifs douaniers et le commerce, remplacé en 1995 par l'Organisation mondiale du commerce – OMC), le mouvement de libération des échanges s'accompagne d'une formidable expansion de règles internationales grignotant des domaines traditionnellement internes (par exemple, réglementations des marchés publics). Désormais, pour tout ce qui a trait à l'échange, les législations nationales tendent à être coiffées, remodelées par des accords internationaux (ce processus étant extrêmement poussé au sein de l'Union européenne, laboratoire de la coopération internationale, impliquant, dans ses champs de compétence, une subordination des droits nationaux au droit européen).

La mondialisation met en concurrence entreprises, individus mais aussi États. Pour ceux-ci, les flux de la mondialisation (tourisme, investissements des multinationales...) constituent une condition majeure de leur enrichissement ; il est vital de les attirer. Cette priorité contraint les États, surtout ceux ayant atteint un niveau comparable de développement, à se comparer sans cesse, chacun étant conscient que, s'il offre des conditions moins favorables que les autres (dans sa législation, sa fiscalité, ses infrastructures...), il décourage la venue de ces flux et ainsi se pénalise lui-même. Ce qui détermine alors la législation, c'est finalement moins la volonté du peuple que l'impératif d'adaptation permanente à la concurrence internationale. De plus, tout État, soucieux d'être inséré dans ces flux, doit prouver à l'extérieur qu'il est sûr, stable, à l'abri de bouleversement grave. Cet État est donc soumis à une surveillance constante. En étant en conformité avec la loi internationale, il rassure : ainsi, au tournant des années 80-90, l'Afrique du Sud démantèle l'apartheid, perçu comme une source grave d'incertitude, afin de briser son isolement et d'attirer l'argent étranger, qui doit contribuer à faire repartir la croissance dans ce pays et réduire les risques d'un affrontement sanglant entre Blancs et Noirs.

C) *La solidarité.* — L'État, sous sa forme d'État-providence s'épanouissant d'abord en Europe occidentale à l'issue de la Seconde Guerre mondiale, s'impose comme le cadre d'une solidarité institutionnelle entre riches et pauvres, bien portants et malades, actifs et non-actifs... et ainsi remplace les solidarités traditionnelles, d'abord familiales, disloquées par l'industrialisation et l'urbanisation.

L'internationalisation et sa poussée majeure, la mondialisation, placent l'État devant un dilemme complexe. D'un côté, l'impératif de compétitivité tend à exiger un allégement de ces charges de solidarité, afin de ne pas décourager les dynamiques et même de les faire fuir vers quelque paradis fiscal. De l'autre côté, la première mission de l'État n'est-elle pas de préserver cette solidarité, surtout au moment où l'impact de la mondialisation déchire le tissu national entre une poignée de zones privilégiées, emportées par le mouvement général, et le reste du territoire ? Cette contradiction exalte les rêves sécessionnistes : après Singapour, né en 1965 d'une sécession d'avec la Malaisie, modèle d'adaptation permanente à la mondialisation, pourquoi pas une Catalogne, une Lombardie, une Écosse indépendantes, débarrassées du fardeau de l'Espagne, de l'Italie, du Royaume-Uni ? Le gourou nippo-américain Kenichi Ohmae prophétise l'avènement de régions-États (Californie, Kouangtoung...), débarrassées d'un arrière-pays retardataire, et s'épanouissant pleinement sous le vent vivifiant de la mondialisation. Mais ne se transformeront-elles pas bientôt en forteresses assiégées par la pauvreté planétaire ?

Cette déstabilisation des responsabilités de l'État par la mondialisation se produit dans le sillage de leur formidable développement. Le XXe siècle à la fois fait triompher l'État, en lui confiant la quasi-totalité de la vie humaine (santé, éducation, travail...), et le bouscule sous le choc des interdépendances.

D'un côté, l'État se trouve désacralisé. Pour l'individu ou l'entreprise, il n'est plus le protecteur incontesté, fournissant au premier tous ses droits, assurant à la seconde son marché. L'individu, s'il reçoit toujours de l'État le premier élément de son identité, sa nationalité, voyage, compare, parfois émigre. Déjà en Europe occidentale, l'un des laboratoires de la modernité, cet individu peut mettre en cause son État devant des juridictions internationales (Cour européenne des droits de l'homme, Cour de justice de la Communauté européenne). Le patriotisme, confiance aveugle, acceptation du sacrifice suprême, reste-t-il la religion qu'il fut lors des deux guerres mondiales ? Quant aux relations entre entreprises et États, elles sont transformées par la généralisation de la concurrence : les entreprises dites nationales ne peuvent plus espérer de leur État un espace protégé, des capitaux non rémunérés, et sont vouées à être privatisées ; les marchés publics s'ouvrent, notamment parce que les États, eux aussi, doivent être rentables et sont en compétition les uns avec les autres. Les fonctions nobles de la souveraineté – défense, diplomatie, justice... – sont soumises à l'évaluation rigoureuse des coûts et des avantages et peuvent être même partiellement privatisées ; la grandeur, le mystère de l'État s'évanouissent. La mondialisation, comme un acide, dissout les mythes, tout ce qui était regardé comme unique se trouvant comparé et donc relativisé.

De l'autre côté, l'État reste le refuge, le protecteur, ne serait-ce que parce qu'en cette fin de XXe siècle aucune structure ne le concurrence : l'entreprise n'offre à l'individu au mieux qu'un emploi ; les organisations internationales soit sont des associations d'États (organisations intergouvernementales ou plus exactement interétatiques), soit n'agissent normalement qu'avec le consentement de l'État (organisations non gouvernementales – ONG). Pour la plupart des communautés opprimées (des Juifs espérant échapper à la persécution en se bâtissant un État – sionisme – aux Palestiniens revendiquant leur État tant face à Israël que face à leurs frères arabes), l'État souverain représente finalement le meilleur des remparts.

La mondialisation affecte la *légitimité* de l'État par le haut et par le bas. Les lois de l'État étant de plus en plus prises dans un magma de contraintes et de règles internationales, formelles et informelles, que signifie le vote du peuple ? Les éléments composants de l'État – individus, groupes, entreprises, régions... – soit attendent de cet État qu'il les protège du chaos de la mondialisation, soit sont tentés de s'en émanciper (par l'émigration, l'internationalisation, la sécession...) ou tout au moins d'en brandir la menace. Dans les deux cas, l'État n'est plus une entité respectée, appelant obéissance et sacrifice, mais le lieu d'une négociation permanente, chacun mesurant âprement ce qu'il donne à l'État et ce qu'il en reçoit.

IV. — Les mouvements transnationaux

La mondialisation appelle la multiplication d'acteurs transnationaux. Ceux-ci ne sont pas nouveaux (ainsi les églises – du catholicisme au communisme – ayant pour ambition de convertir à leur foi toute l'humanité). Cependant l'ère de la mondialisation combine trois spécificités : le développement des opinions publiques, certes d'abord nationales, mais se répondant, s'enchevêtrant de plus en plus ; la densité, la rapidité des réseaux d'information et de communication – avec, en ces années 90, l'explosion d'Internet, créé en 1969 aux États-Unis (avec un but alors très circonscrit : connecter dans un réseau commun tous les ordinateurs travaillant pour la Défense américaine), et maintenant reliant plus de 70 000 réseaux, soit, en 1995, trente millions d'ordinateurs (le nombre des utilisateurs augmentant de 10 % par mois) ; enfin des enjeux (de l'environnement aux droits de l'homme), suscitant des solidarités, des mobilisations transnationales. La mondialisation, c'est aussi l'établissement d'une scène publique mondiale. A l'aube du XXe siècle, il existe déjà près de 180 ONG (et près de 40 organisations intergouvernementales – OIG). En 1960, les premières sont au nombre de 1 255, les secondes de 154. Dans les années 90, les premières approchent les 5 000, les secondes les 300.

1. **Des mouvements d'initiative occidentale (souvent britannique), portés par une résonance mondiale.** — C'est, par exemple, en 1961, la création, par le Britannique Peter Benenson, d'*Amnesty International*. Ce mouvement se veut adapté à la réalité volatile, contradictoire qu'est l'opinion publique internationale : il ne s'agit pas de changer les régimes politiques, mais d'« adopter » des prisonniers politiques, qui acquièrent ainsi « une autre citoyenneté, celle que lui confère la conscience universelle. Ailleurs, quelque part, on sait. » En ces années 90, *Amnesty* a plus d'un million de membres, provenant de plus de 150 pays. Cette organisation exprime bien l'ébauche d'une conscience planétaire, d'une instance morale, pouvant « faire honte aux États, en [se] basant sur les principes de moralité, sur les instruments et traités internationaux que ces États ont signés, en montrant qu'ils ne respectent pas leurs propres engagements et qu'il y a une moralité de la civilisation internationale [...] qui fait que certains actes ne sont plus acceptables ».

Les *French doctors (Médecins sans frontières, Médecins du monde)* sont d'autres représentants du civisme planétaire. Ici aussi, le point de départ est circonstanciel : la guerre du Biafra (1967-1970) et l'engagement d'une poignée de médecins français indignés de l'abandon où est laissé le peuple biafrais, en lutte avec le Nigeria dont il a fait sécession. Ici également, se produit quelque chose d'irréversible ou au moins de quasiment irréversible : la reconnaissance puis, à partir de la fin des années 80, la consécration, dans des résolutions de l'Organisation des Nations Unies, d'un droit d' « assistance humanitaire aux victimes des catastrophes naturelles et situations d'urgence du même ordre » (notamment résolution 43/131 adoptée par l'Assemblée générale le 8 décembre 1988).

De même, depuis le début des années 70, les problèmes d'environnement, de surexploitation de la nature par une humanité de plus en plus nombreuse et consommatrice de ressources, suscitent une multiplication de revendications tant particulières (oppositions à tels ou tels projets dégradant les paysages) que générales (ainsi débats autour d'un développement économique « durable » ou « soutenable »). L'écologie fait partie de ces questions immédiatement mondialisées, car impliquant simultanément tous les niveaux de responsabilité (individuel, local, national, régional, mondial). La prise de conscience écologiste, d'abord occidentale (les sociétés de consommation, rassasiées, gavées, admettant plus ou moins de devenir plus économes), est désormais mondiale : il n'est guère de pays qui ne souffre d'érosion des sols, de gaspillage de l'eau, de catastrophe industrielle, et qui ne suscite de réaction de défense de l'environnement ; de plus, du commerce des bois tropicaux aux trafics de déchets, autant d'échanges opposant Nord et Sud mais aussi leur montrant qu'ils appartiennent à un même système !

Dans ce champ de l'environnement, *Greenpeace* s'impose comme un protagoniste typique de la mondialisation. *Greenpeace* est créé en 1971 par des pacifistes canadiens et américains, parfaites incarnations de l'utopisme des *sixties*. En cette fin des années 90, *Greenpeace*, première organisation écologiste du monde, bénéficie de plusieurs millions de donateurs et s'appuie sur trente bureaux nationaux. *Greenpeace* est géré comme une multinationale, avec des critères financiers stricts (seuls ont un droit de vote plein et direct à l'assemblée générale les bureaux nationaux contribuant au financement de l'organisation). *Greenpeace* manifeste une remarquable maîtrise des techniques publicitaires et contentieuses (ainsi contre le gouvernement français, à la suite de la destruction en 1985 du *Rainbow Warrior* – envoyé pour entraver les essais nucléaires en Polynésie –, ou contre la société *Shell*, qui, en 1995, renonce à couler en mer sa plate-forme pétrolière Brent Spar).

2. **Une prise de parole multiforme.** — Ces mouvements transnationaux expriment bien la formation confuse d'une société mondiale, d'une humanité non seulement se reconnaissant dans les mêmes valeurs (n'existent-elles pas, dans une certaine mesure, depuis la première main tendue d'un homme à un autre ?) mais surtout ayant conscience d'appartenir à une même histoire, de partager les mêmes problèmes. La mondialisation attire les his-

toires particulières, tant collectives qu'individuelles, dans le flot d'une histoire unique, celle de la terre mondialisée. La mise en contact massive, systématique des sociétés à la fois met en lumière leurs écarts de développement, de richesse et, en même temps, les amène à se poser les mêmes questions.

En cette fin de XXᵉ siècle, nombre d'enjeux, nés dans et de la modernité occidentale, prennent une résonance mondiale (par exemple, condition de la femme, urbanisation, criminalité, gestion de l'environnement). A l'inverse, ce qui vient des cultures non occidentales, ne bénéficiant pas de la prééminence écrasante de l'Occident, se faufile dans les flux mondiaux par des voies cachées, éparpillées, parfois tortueuses (ainsi les musiques, les spiritualités métissées, recyclées de mille manières, certaines peu innocentes – sectes bricolant les religions). D'où des allées et venues incessantes entre les différents niveaux (local, national, mondial) de constitution des opinions.

Ces mouvements transnationaux contribuent à l'apparition d'enceintes mondiales. Si les acteurs centraux de ces forums restent les États, se joignent à eux des structures imbriquant opinions nationales et opinion mondiale : associations de défense de telle ou telle catégorie, de tels ou tels droits ; représentants des peuples indigènes ou sans État (environ 300 millions de personnes dans le monde)... Des *Conférences mondiales* ou *Sommets mondiaux* se multiplient sur les grands problèmes de sociétés : enfance (au sein de l'UNICEF, en septembre 1990) ; environnement et développement (Rio de Janeiro, juin 1992) ; droits de l'homme (Vienne, juin 1993) ; population et développement (Le Caire, septembre 1994) ; crime organisé (Naples, novembre 1994) ; développement social (Copenhague, mars 1995) ; femmes (Pékin, septembre 1995) ; habitat (Istanbul, juin 1996). La rencontre de Rio sur l'environnement comprend 30 000 participants, dont 103 chefs d'État ou de gouvernement entourés de 9 000 journalistes. La rencontre de Vienne sur les droits de l'homme mobilise environ 10 000 personnes, 4 500 représentant 171 États, 2800 des ONG et 2 000 journalistes. A Pékin, la question des femmes rassemble 30 000 participants.

Ces réunions mettent en scène les grands clivages qui

opposent les sociétés, les cultures (par exemple, à propos des droits de l'homme, entre pays occidentaux, insistant sur leur application universelle et immédiate, et pays en développement, liant la mise en œuvre de ces droits à l'enrichissement économique ; en ce qui concerne la situation de la femme et d'abord son droit à la contraception et à l'avortement, entre États libéraux et États se voulant fondés sur la religion, que celle-ci soit catholique ou musulmane). Toute vérité devient matière à débats. Des solidarités transnationales – entre femmes, entre défenseurs des droits de l'homme... – se cristallisent.

3. **Des États sous surveillance.** — La surveillance, à laquelle se trouvent soumis les États, est multiforme ; elle est le fait certes des ONG mais aussi des investisseurs, des opérateurs sur les marchés, des touristes – bref de tous ceux qui, sans cesse, font des comparaisons entre les États, entre leurs monnaies, entre leurs degrés de stabilité et de sécurité, entre leurs sens de l'accueil. Les États, soucieux de se montrer de bons élèves afin de ne pas être boudés par les flux de la mondialisation, prennent des engagements au moins déclaratoires. D'où des interactions permanentes entre les États et la multitude d'acteurs extérieurs, les premiers devant rassurer, séduire les seconds, ces derniers étant prompts à s'affoler sous la bousculade des rumeurs.

Chapitre IV

LES CONFLITS
DE LA MONDIALISATION

La mondialisation fait de la terre une scène unique. Ce rapprochement des cultures, des hommes les inscrit dans des jeux de comparaison, d'imitation, de compétition et aussi de coopération. La mondialisation multiplie les frustrations, chacun sachant ou croyant savoir ce que l'autre a et disposant, semble-t-il, grâce à l'intensification des flux, de formidables possibilités de s'en rapprocher et peut-être de s'en emparer ; la radio, la télévision, l'avion ne paraissent-elles pas mettre les sociétés riches à portée de main des pauvres ? La mondialisation dissout les interdits, les privilèges, les hiérarchies. En même temps, la terre est occupée, partagée, barricadée de frontières. Ces données résultent de longues histoires, que la mondialisation n'abolit pas. Comme l'illustrent, parmi beaucoup d'autres exemples, l'ex-Yougoslavie ou le Caucase, les conflits pluriséculaires entre communautés, entre peuples sont toujours là.

Ce qu'introduit de nouveau la mondialisation, c'est ce cadre planétaire : chaque expérience particulière prend une résonance universelle (ainsi l'Afrique du Sud des lendemains de l'apartheid se présente-t-elle comme l'un des laboratoires d'un ordre universel libéré du racisme...) ; à l'inverse, les grands affrontements – par exemple entre individualisme démocratique et identitarisme communautaire – se décomposent en une multitude de heurts imbriqués – entre États et en leur sein, entre groupes et en leur sein, entre individus et à l'intérieur d'eux-mêmes.

Beaucoup de conflits de la mondialisation ne sont pas neufs, mais ils sont amplifiés, reformulés, se répétant presque à l'identique aux niveaux mondial, régional, national, local. Mais la mondialisation, en consacrant la terre comme un espace fini, en liant plus ou moins la survie de l'humanité à l'acceptation d'un destin commun, suscite bien des conflits nouveaux : quelle gestion planétaire des ressources ? Quelle unité de valeurs ? Certains de ces **conflits** de la mondialisation sont **à dominante économique**, d'autres **à dominante politique**.

I. — Les conflits à dominante économique

1. **Conflits entre ceux qui ont et ceux qui n'ont pas.** — Des révoltes d'esclaves aux innombrables jacqueries, les luttes entre ceux qui ont et ceux qui n'ont pas sont une des constantes de l'histoire humaine. Karl Marx en fait même le moteur de la transformation des sociétés. Par ailleurs, la révolution industrielle, à partir de la fin du XVIIIᵉ siècle, change progressivement mais radicalement le mode de pensée de l'humanité : le progrès technique fait que les ressources, de finies, deviennent infinies ou au moins sont perçues comme telles. Grâce à la croissance économique, les hommes ne se disputeront plus une richesse limitée mais se partageront un surplus sans cesse renouvelé. Avec la mondialisation, cette logique, d'occidentale, s'universalise.

Pour ceux qui n'ont pas, la misère cesse d'être une fatalité, à laquelle on se résigne. L'explosion démographique, la conscience confuse qu'il est possible d'échapper à la pauvreté rendent pressante l'exigence de développement. Les liens et les équilibres, forgés dans la permanence du village, sont malmenés, refaçonnés par l'urbanisation : ils perdent leur éternité, leur sacralité ; ils sont instrumentalisés (ainsi les communautés, les ethnies constituant des filières contrôlant les emplois de tel ou tel secteur). Les sociétés du Tiers Monde sont attirées dans la compétition mondiale.

Une minorité entre dans le jeu. C'est surtout, en cette fin de XXᵉ siècle, l'Asie maritime. Volonté de revanche contre l'Occident qui l'a humiliée et dominée ? Avidité à se libérer d'une misère millénaire ? Pour au moins les États se qualifiant encore de communistes en ces années 90 (Chine, Vietnam), rejet violent, notamment par la jeunesse, d'un carcan idéologique et politique étouffant et de plus en plus hypocrite et fascination pour le bonheur

65

à l'occidentale ? Ici surgit l'énigme du développement : pourquoi un pays ou un ensemble de pays décolle-t-il ? Pourquoi ce qui était considéré comme obstacle au développement – ainsi, en Asie, la mentalité chinoise, identifiée à un confucianisme immobiliste – se retourne-t-il en facteur de développement – toujours la mentalité chinoise, cette fois-ci définie par son appétit d'argent, de jouissance ?

Ainsi, un siècle après le Japon qui, le premier, prend conscience, dans la seconde moitié du XIXᵉ siècle, qu'il ne peut se sauver qu'en imitant l'Occident, émerge le peloton des Nouveaux pays industrialisés (NPI), et d'abord des Dragons d'Asie (Hong-Kong, Taiwan, Corée du Sud, Singapour) qui, eux, imitent et concurrencent le Japon.

Dans le monde en développement, une cassure se fait entre ceux qui n'ont pas et qui sentent qu'ils peuvent avoir et l'énorme masse de ceux qui n'ont pas et n'auront pas. Les premiers, poussés par leur croissance économique, bousculent les pays riches, établis, en se plaçant dans les secteurs (textiles, sidérurgie, chantiers navals, mais aussi automobile, électronique, services informatiques) où ils exploitent à plein deux atouts : leur main-d'œuvre à bon marché ; l'utilisation de techniques amorties et donc peu chères. Quant aux seconds, ceux qui n'arrivent pas à se glisser dans cette compétition, ils accèdent aux circuits de la mondialisation par l'exportation des produits bruts, l'endettement et l'aide.

La mondialisation met ceux qui ont, les pays riches, occidentaux, devant un enchaînement de dilemmes. En premier lieu, ils ne sauraient que soutenir le développement des pays pauvres ; ces derniers suivent la voie ouverte par l'Occident et, par leur enrichissement, offrent aux multinationales des marchés à croissance très rapide. Mais, en même temps, ces pays, en se développant, concurrencent d'abord les vieux pays industriels dans les branches les plus vulnérables, celles qui employaient beaucoup de travailleurs peu qualifiés et très difficiles à reconvertir.

L'une des dimensions majeures de la mondialisation, de la libération des échanges réside dans la mise en concurrence d'économies très inégalement développées, les écarts de coût du travail entre pays les plus riches et pays les plus pauvres pouvant être de 1 à 10 ou même à 50 (au début des années 90, coût horaire total d'un ouvrier : 25 $ en Allemagne ; 16 aux États-Unis ; 5 en Corée du Sud ; 1,40 en Pologne ; un demi-dollar ou moins en Chine ou en Inde). D'où les dénonciations d'une compétition déloyale entre travailleurs des uns et des autres, des délocalisations par lesquelles les multinationales des pays développés transfèrent leurs fabrications vers les pays à bas salaires et détruisent de nombreux emplois dans ceux bénéficiant d'une protection sociale forte.

Pour la théorie économique libérale, la suppression des obstacles aux échanges promeut la division internationale du travail : chacun est ainsi en mesure de produire ce pour quoi, à un moment donné, il est le plus doué *par rapport* aux autres (principe des avantages comparatifs). Dans cette perspective, les délocalisations vont de soi, exploitant l'avantage qu'offrent les moins développés : une main-d'œuvre abondante et peu chère. La mondialisation est-elle source de chômâge ?

Pour les partisans du libre-échange, la comparaison entre pays à hauts salaires et pays à bas salaires doit combiner les niveaux de rémunération et ceux de productivité (quantité produite par heure de travail), où les pays développés, grâce à leur potentiel technique, disposent d'une formidable avance. Par ailleurs, la mobilité libère ces pays d'activités archaïques (par exemple, industries de main-d'œuvre) et les transfère vers les pays, qui, en s'appuyant sur elles, accompliront leur décollage économique. Ainsi les travailleurs des nations riches sont-ils poussés vers des emplois plus qualifiés, tandis que les emplois déplacés vers les nations pauvres créent de nouveaux consommateurs, qui se porteront acheteurs de produits notamment des pays riches. Telle est la spirale vertueuse du commerce et du développement.

Mais cette représentation suppose un monde parfait, dans lequel les hommes s'adaptent sans peine aux évolutions techniques, les économies les plus développées renoncent aisément aux secteurs anciens et leur substituent des activités de plus en plus sophistiquées. Les faits sont beaucoup plus chaotiques et douloureux : par exemple aujourd'hui, alors que de Nouveaux pays industriels se placent dans l'automobile (en particulier, Corée du Sud), cette industrie continue d'être essentielle dans la plupart des vieux pays industriels. En outre, cette mise en concurrence d'économies inégalement développées se produit au moment même où ces pays industriels sont aspirés dans une nouvelle ère technique, entraînant notamment une réduction massive des emplois industriels.

Dans ces conditions, la mondialisation est-elle la cause du chômage ? N'est-elle pas un mot passe-partout, n'expliquant finalement rien ? En ces années 90, les pays occidentaux réalisent entre eux le gros de leur commerce et de leurs investissements extérieurs. Et surtout, si les importations par le Nord de biens manufacturés du Sud augmentent considérablement, leur poids dans la consommation des pays riches reste encore modeste (aux États-Unis en 1990, 11 % de la totalité des biens manufacturés consommés – 5 % en 1978). A l'inverse, pour les multinationales, le Sud et principalement l'Asie maritime constituent des eldorados : des centaines de millions de consommateurs, avides de tout, et bénéficiant d'un pouvoir d'achat en croissance très rapide. A cet égard, la compétition la plus âpre se déroule entre ces groupes *occidentaux* énormes et fragiles, convaincus que leur survie dépend de leur capacité à s'implanter sur ces marchés.

En cette fin de XXᵉ siècle, dans les pays développés, deux phénomènes se combinent : un fort déclin de la demande de travailleurs non qualifiés ; un élargissement de l'éventail des rémunérations, avec, à un extrême, la mince couche des bénéficiaires de la mondialisation (opérateurs financiers, cadres supérieurs, créateurs de modes...) et, à l'autre extrême, la masse des ouvriers peu qualifiés. Ces derniers sont, semble-t-il, les grandes victimes de la mondialisation, la productivité de leurs homologues du Tiers Monde croissant beaucoup plus vite que les salaires de ces derniers. Ainsi en est-il dans la sidérurgie, les textiles...

Enfin, avoir, posséder représente toujours une contrainte, un handicap : il s'agit de protéger ce que l'on a, tout en sachant que l'autre – celui qui n'a pas – ne peut qu'être tenté de dérober ce dont il est privé, cette privation excitant le plus souvent un sentiment d'injustice.

En cette fin de XXᵉ siècle, la propriété intellectuelle illustre l'un des conflits typiques de la mondialisation entre ceux qui ont et ceux qui n'ont pas.

D'un côté, pour les pays riches, inventions, brevets constituent le cœur de leur prospérité, ce qui assure leur avance dans la compétition mondiale. En ces années 90, ces pays réalisent encore plus de 95 % des dépenses de recherche et développement. Les secteurs très inventifs sont à la fois prestigieux et fragiles (ainsi les industries du luxe – parfums, haute couture...) et ne vivent que par leurs styles, leurs marques. Enfin, ces pays riches sont à l'origine des systèmes de protection des connaissances.

De l'autre côté, pour des pays en développement, la copie, le piratage fournissent des modes faciles d'enrichissement (grâce, en particulier, aux touristes des nations développées, ravis d'acheter des contrefaçons, qui leur permettront de briller à bon marché). Ces pays peuvent se persuader que, face à un marché mondial tenu par les multinationales occidentales et à des règles mises au point par les nations riches, il est légitime de tricher pour obtenir une place au soleil.

Cette opposition provoque des bras de fer répétés entre Nord et Sud. Il est significatif que l'un des grands enjeux de la dernière négociation du GATT (cycle de l'Uruguay ou *Uruguay Round*, 1986-1994) ait été la propriété intellectuelle ; pour les pays occidentaux, sentant la concurrence des Nouveaux pays industrialisés s'amplifier et se durcir, il est vital d'obtenir de ces derniers un meilleur respect de cette propriété. Par ailleurs, cette question déclenche des crises bilatérales. Dans les années 90, éclatent plusieurs batailles de copyrights entre les États-Unis et la Chine, les premiers mettant en cause la seconde pour la fabrication clandestine de disques-compact et de cassettes-vidéo et donc le non-paiement des droits d'auteur.

En fait il semble bien n'exister qu'une seule voie pour amener les pays en développement à se conformer aux règles dans ce domaine : qu'eux-mêmes inventent et produisent des techniques nouvelles et qu'ainsi ils découvrent un intérêt précis, égoïste à combattre le piratage !

2. **Conflits entre ceux qui s'insèrent et ceux qui ne s'insèrent pas.** — La mondialisation est une dynamique profondément inégalisatrice. L'enrichissement tend à se concentrer dans quelques pôles – des mégapoles –, bénéficiant d'une forte croissance, notamment parce qu'ils sont des

composantes, des carrefours de vastes réseaux : par exemple, Londres, Paris, la Catalogne... Ces zones sont souvent à cheval sur une frontière, exploitant justement les écarts économiques entre les territoires limitrophes – ainsi la région San Diego (États-Unis) – Tijuana (Mexique) ou l'ensemble Hong-Kong - Shenzen - Guangzhou (Canton).

« Métropolisation et remontée des inégalités spatiales : ces deux tendances lourdes... » (Pierre Veltz, *Mondialisation, villes et territoires, l'économie d'archipel*, Presses Universitaires de France, 1996, p. 47) touchent tous les pays industriels : d'immenses zones régressent, se désertifient ; quant aux zones de prospérité, ce ne seraient plus que des îlots – l' « archipel » –, branchés sur les circuits mondiaux.

Il en résulte, en premier lieu, des tensions à l'intérieur des sociétés. Les inégalités sociales, géographiques ne sont certes pas nouvelles, mais elles sont considérablement avivées, durcies par la compétition internationale. Ainsi s'opposeraient les secteurs soumis à cette compétition et les secteurs abrités (d'abord et surtout les fonctions liées à l'État : administration, défense, éducation...), les premiers créant la richesse, subissant le choc de la concurrence et se convainquant, en outre, d'assumer seuls le fardeau des charges collectives. Pour les uns, tous les risques ; pour les autres, une assistance garantie.

De telles tensions à la fois opposent des catégories de population (secteur public contre secteur privé) et aussi traversent toutes les couches sociales : élites, ouvriers, employés... Ainsi, au sein des élites, se dessinent des fêlures entre celles, tirant leur revenu et leur légitimité de leur adaptation à la mondialisation (cadres de multinationales), et celles enracinées dans un cadre national (politiciens, hauts fonctionnaires...).

Ces représentations sont simplificatrices. D'une part, aucune activité n'échappe à la mondialisation. Les secteurs protégés sont, eux aussi, brutalement déstabilisés : par exemple, les industries d'armements, en principe appuyées sur les commandes de leur État, souffrent à la fois tant à travers le recul de leurs exportations (ici aussi, mondialisation de la concurrence, et également difficultés financières des gros clients traditionnels – États du Moyen-Orient, exportateurs de pétrole) qu'en raison des contraintes budgétaires de leur propre État (celui-ci étant de plus en plus rigoureux dans la gestion de l'argent public pour tenir compte des réactions des marchés) ; de même, les télécommunications, monopole étatique ou privé dans les pays occidentaux jusque dans les années 80, sont-elles bousculées par la mondialisation (ce mot amalgamant alors des phénomènes distincts et liés : outre l'internationalisation, bouleversements techniques, contournement des monopoles, déréglementation). D'autre part, l'État donne à l'individu sa nationalité, son identité de base, celle sans laquelle il n'a pas de pleine existence juridique ; en cette fin de XXᵉ siècle, la plus énorme des multinationales ne peut conférer cela !

La mondialisation est-elle un agent de fragmentation des entités politiques ? Les tensions qu'elle exaspère entre régions s'insérant dans ses flux et régions marginalisées peuvent-elles conduire à l'éclatement d'États, les premières considérant qu'elles n'ont pas à financer l'incapacité des secondes à s'adapter, les secondes préférant finalement vivre mal par elles-mêmes plutôt que de se trouver en position de perpétuelles quémandeuses ? Dans un monde divisé par des barrières douanières élevées, le marché se confond avec le cadre étatique ; à l'inverse l'abaissement ou la disparition de ces barrières créent des marchés transnationaux, et des régions petites ou moyennes peuvent penser que, seules, dissociées de l'État qui les coiffe, elles se débrouilleront mieux.

En ces années 90, plusieurs États s'effondrent d'abord en Europe : Union soviétique, Yougoslavie, Tchécoslovaquie ; de même que des États sont travaillés par des revendications sécessionnistes : Belgique (Flandres et Wallonie), Royaume-Uni (Écosse), Italie (Italie du Nord), Canada (Québec)... D'un côté, il y a ceux qui, fascinés par Singapour ou Hong-Kong, sont convaincus ou se convainquent qu'ils ont tout à gagner à l'indépendance, afin d'être plus mobiles face à la mondialisation : ainsi les « souverainistes » québecois, soulignant les réussites d'entreprises de la Belle Province, et affirmant que la combinaison de ces atouts économiques et de la souveraineté politique assurera la survie du Québec francophone ; de même la République tchèque, finalement ravie que l'exaltation nationaliste slovaque lui impose, le 1ᵉʳ janvier 1993, le divorce d'avec sa sœur orientale, si pesante à traîner avec ses industries lourdes, héritées de l'époque soviétique... De l'autre côté, les perdants (ainsi la Serbie, la Slovaquie) se réfugient dans le nationalisme, ainsi que le feront également les déçus de la mondialisation, ces régions qui, une fois indépendantes, perdront leurs illusions sur leurs capacités propres de manœuvre et regretteront peut-être de ne plus être protégées et défendues par cet État qu'elles ressentaient comme tyrannique.

En deuxième lieu, les États sont engagés dans une compétition pour l'insertion. Dans l'offre des coûts de travail les plus bas, les pays du Tiers Monde se découvrent en rivalité les uns avec les autres. Quant aux pays développés, certains reprochent à d'autres de pratiquer le *dumping* social, c'est-à-dire, afin d'attirer ou de garder des investisseurs extérieurs, de leur proposer des conditions sociales exceptionnelles, trichant avec les règles établies. Il y a là conflit entre deux attitudes face à la mondialisation : pour les uns, dont le Royaume-Uni est sans doute la plus forte incarnation, la mondialisation impose non pas d'aligner rémunérations et garanties sociales sur celles du Sud – objectif évidemment inaccessible – mais de déréglementer le plus possible, de faire sauter tout ce qui entrave la flexibilité du marché du travail ; pour les autres – notamment France, Allemagne... –, la mondialisation ne doit pas conduire à abandonner les acquis sociaux et, en particulier, déchaîner une concurrence sauvage entre des pays, dont l'une des réussites historiques majeures, à l'issue de la Seconde Guerre mondiale, reste l'édification de l'État-providence.

3. **Conflits autour de l'exploitation des ressources de la terre.** — Depuis la préhistoire, les hommes se disputent âprement les richesses de la terre. Les grands affrontements – par exemple, entre Athènes et Sparte, Rome et Carthage, l'Empire romain et la Perse... – ont, tous, des enjeux économiques (contrôle des ressources vitales et surtout des voies d'approvisionnement – routes de l'ambre, des épices, de la soie...). Tout au long du XXᵉ siècle, le pétrole, sans lequel toute machine industrielle ou de guerre est paralysée, est une composante essentielle de beaucoup de luttes, de la Seconde Guerre mondiale (l'Allemagne et le Japon souffrant d'un manque chronique d'hydrocarbures, les États-

Unis, eux, en disposant en abondance) aux rivalités du Moyen-Orient, région où sont concentrés près des deux tiers des réserves mondiales connues (ainsi du bras de fer autour de la nationalisation du pétrole iranien, en 1951-1953, à la guerre du Koweït en 1991).

De ce point de vue du contrôle des ressources, qu'apporte de neuf la mondialisation ? Elle consacre la terre comme un monde clos, fini. Pour les hommes, il ne s'agit plus seulement de se combattre pour l'appropriation de ces ressources mais aussi de s'interroger sur les possibilités d'une exploitation globale par une humanité enfin en harmonie avec elle-même. En outre, la multiplication des hommes, le partage de la planète entre des entités souveraines soit appellent des guerres perpétuelles pour ces ressources, soit accouchent d'une gestion d'ensemble de leur exploitation.

Cette problématique des ressources est également déterminée par le progrès technique. Depuis la fin du XVIIIe siècle, la révolution industrielle entraîne une exploitation de la nature par l'homme sans commune mesure avec celle des temps préindustriels. D'abord, par l'émission massive dans l'atmosphère de molécules artificielles (gaz carbonique – CO_2 –, chlorofluorocarbures – CFC...), les activités humaines perturbent, semble-t-il, les équilibres naturels : l'accroissement vertigineux des quantités de CO_2, entraînant une meilleure captation des rayons solaires (renforcement de l'effet de serre), modifierait les climats, provoquant, par exemple, le relèvement du niveau des océans et donc l'inondation des deltas, où se concentrent des centaines de millions d'hommes. Par ailleurs, la combinaison de l'explosion démographique et de l'industrialisation entraîne l'exploitation systématique et la destruction souvent irréversible de ressources rares : les forêts tropicales sont dévorées tant par la poussée de paysans en quête de terre (Amazonie) que par la consommation de bois (Japon s'approvisionnant dans toute l'Asie du Sud-Est) ; de même l'augmentation des besoins en eau – en particulier au Moyen-Orient, zone menacée par une pénurie chronique – conduit à des prélèvements sur les gisements d'eau, nappes souterraines au renouvellement très lent.

Ces enjeux d'environnement suscitent des débats, des conflits à tous les niveaux, locaux, nationaux, régionaux et planétaires. Du point de vue de la mondialisation, la question est : l'humanité peut-elle, à la veille du XXIe siècle, mettre sur pied un développement global, à la fois bénéficiant à tous et laissant aux générations futures des richesses suffisantes (notion de développement durable ou soutenable) ?

Ici se forment des clivages, des conflits typiques de la mondialisation. Les pays occidentaux constituent un premier groupe : du fait de leur avancée et de leur richesse, ils restent les plus gros pollueurs de la planète, mais la maturité de leur développement les amène à prendre conscience de la nécessité d'une gestion plus rigoureuse, plus responsable de la nature ; en outre, beaucoup de leurs industries intègrent cet impératif écologique et apprennent à en tirer profit. Le deuxième groupe, qui comprend notamment les deux colosses démographiques (Chine et Inde), est celui des pays engagés dans un vigoureux processus de développement ; ce développement, considéré comme une priorité absolue, est porteur d'une formidable augmentation des pollutions, comme l'illustrent la Chine et l'Inde, détentrices d'énormes réserves en charbon qu'elles exploiteront de plus en plus, contribuant à charger encore plus l'atmosphère en molécules de CO_2. Le troisième groupe rassemble « les damnés de la terre », ces milliards de pauvres que leur nombre condamne à dégrader leur environnement (ainsi les peuples du Sahel ou des contreforts de l'Himalaya usant leur sol, brûlant leurs forêts pour survivre).

L'environnement oppose deux principes, deux droits : d'un côté, le droit au développement, le droit de chaque peuple, de chaque individu d'accéder à une existence décente ; de l'autre côté, le droit de l'humanité tout entière à un avenir sûr. Cette opposition reformule l'antagonisme permanent entre le particulier et l'universel, le particulier n'étant pas cohérent mais étant le lieu d'affrontement de perspectives contradictoires (les droits des individus, ceux des États, ceux des divers ensembles humains étant tout autant complémentaires qu'antagoniques), l'universel étant un enjeu (chacun – individus, États, mouvements transnationaux... – revendiquant sa vision de l'universel). Les affrontements de la mondialisation entremêlent deux types de conflit : d'une part, des luttes classiques entre les intérêts existants ; d'autre part, des tensions entre ces intérêts actuels (des individus, des entreprises, des États...) et les intérêts communs de l'humanité entière.

— *La couche d'ozone.* Cette « couche » (quelques millionièmes parties de la stratosphère, entre 10 et 40 km d'altitude) filtre les rayons ultraviolets du soleil et donc protège l'humanité d'un de ses effets les plus nocifs. Depuis 1979, l'observation scientifique de cette couche révèle au-dessus du pôle Sud un « trou » de plus en plus étendu, accroissant pour les hommes certains risques (cancers de la peau). Le principal coupable de ces trous est bientôt identifié : il s'agit des CFC, molécules artificielles largement employées dans l'industrie depuis les années 60 (gaz d'aérosols, fluides réfrigérants...) ; les CFC, émis dans l'atmosphère, sont très lentement transportés vers le pôle Sud et, une fois là, provoquent, lors du printemps austral, une diminution temporaire de la couche d'ozone.

Alors apparaît un conflit de la mondialisation. Les pays occidentaux, au nom de la protection de l'environnement, souhaitent l'interdiction des CFC (en outre, certaines de leurs multinationales du secteur chimique sont prêtes à mettre sur le marché des molécules de substitution, qui, nouvelles, seront source de profits). Pour les pays en plein développement, les CFC offrent un avantage de taille : utilisées depuis des décennies, elles sont amorties, donc peu coûteuses ; leur interdiction ne vise qu'à assurer un marché pour les molécules de substitution. Dans ces conditions, si l'Occident veut l'élimination des CFC, qu'il la prenne en charge par des aides financières ! Entre 1985 et 1989, se met en place un dispositif international autour de deux axes : interdiction totale des CFC en l'an 2000 ; création d'un fonds d'aide aux reconversions des pays en développement. Plus de 150 États adhèrent à ce dispositif.

— *Les changements climatiques.* L'un des résultats majeurs du sommet de la terre, à Rio de Janeiro, en juin 1992, est la convention sur les climats, son objectif étant de promouvoir la maîtrise des gaz renforçant l'effet de serre. Au-delà des principes, l'ampleur des intérêts en jeu fait qu'aucun accord de substance n'est possible : le plus gros consommateur d'énergie de la planète, les États-Unis, rejette, pour des raisons électorales évidentes, ce qui serait, en ce qui les concerne, la mesure décisive : une très forte hausse du prix de l'essence ; les pays exportateurs d'hydrocarbures craignent pour leurs ventes (alors qu'en ces années 90 le marché du pétrole souffre de surproduction chronique) ; le méthane, cause d'un quart du renforcement de l'effet de serre, est produit par la riziculture, l'élevage, le traitement des eaux usées – activités impliquant la vie quotidienne de millions de personnes...

Cette affaire du climat met bien en lumière l'une des difficultés centrales de la mondialisation. Tout problème mondial ne peut être dominé sans la participation sinon de tous, au moins de tous les acteurs significatifs. Or ceux-ci sont non seulement nombreux, hétérogènes mais aussi différents d'un dossier à l'autre ; de plus, la diversité de leurs niveaux de développement entraîne des perspectives différentes ou même conflictuelles. Ainsi, dans toute première phase d'industrialisation, l'intensité énergétique (quantité d'énergie nécessaire à l'obtention d'une unité de produit intérieur brut) fait un bond spectaculaire avant de refluer.

— *Les forêts tropicales.* Celles-ci sont aussi l'un des enjeux de la mondialisation. Elles illustrent le lien entre mondialisation, augmentation des consommations et raccourcissement des cycles historiques : la déforestation des pays européens s'étale sur plusieurs siècles ; la moitié des forêts tropicales disparaît au cours du dernier demi-siècle. Pour les pays occidentaux, mais aussi pour les mouvements indigènes de défense de ces forêts, celles-ci doivent faire partie des « biens communs de l'humanité », de ces ressources (atmosphère, océans...) que tous les hommes ont le même intérêt à protéger ; en même temps, ces forêts sont souvent exploitées par des entreprises occidentales. Pour les pays sur le territoire desquels se trouvent ces forêts, celles-ci leur appartiennent ; elles leur procurent des recettes indispensables à leur développement. Ainsi se heurtent deux principes : celui, classique, de la souveraineté de l'État ; celui, nouveau, d'une communauté universelle, devant veiller à la préservation de la terre.

Au sommet de Rio, les pays tirant des revenus de leurs forêts (Inde, Brésil, Indonésie et surtout Malaisie) rejettent le principe d'une convention internationale, qui les priverait de leur liberté d'exploitation. Une simple déclaration est adoptée. Ce que confirme la destruction des forêts tropicales, c'est que, dans un monde d'États souverains, en outre soumis à des pressions démographiques et économiques considérables, une discipline mondiale ne peut être imposée, elle ne peut qu'être consentie. Le sauvetage de ces forêts passe par une prise de conscience dans les États possesseurs, celle-ci se faisant en général lorsque ces États découvrent que cette richesse, qu'ils croyaient inépuisable, ne l'est pas (ainsi, en ces années 90, la Thaïlande, traditionnellement exportatrice de bois, lance-t-elle une politique de protection ; pour remédier à la perte de revenus, elle organise le pillage méthodique des forêts de son faible voisin, le Cambodge). Par ailleurs, il y a bien ébauche d'un effort mondial de gestion des forêts tropicales, notamment par l'établissement d'incitations financières (formules d'allégement de dettes pour les pays s'engageant dans des politiques de reconstitution de leurs forêts).

II. — Les conflits à dominante politique

1. **Fin ou poursuite des conflits classiques ?** — Depuis l'aube de l'histoire, les communautés politiques ne cessent de s'affronter pour des territoires, des richesses, des croyances ou tout simplement pour la suprématie. La mondialisation signifie-t-elle, selon la formule de Hegel, reprise par Alexandre Kojève, puis, en ces années 90, par l'Américain Francis Fukuyama, « la fin de l'Histoire », c'est-à-dire la disparition de ces luttes entre volontés, les hommes s'installant dans la paix universelle et se consacrant à l'administration harmonieuse de la terre ?

La mondialisation pousse l'humanité à se percevoir comme une totalité, ayant pour priorité d'assurer sa survie. L'ampleur des risques (de la surpopulation à l'atome) ne rend-t-elle pas dérisoires les conflits traditionnels et n'appelle-t-il une communauté planétaire ? Par les capacités techniques qu'il crée sans cesse, l'homme est en mesure d'étendre à l'infini ses domaines d'exploitation (ainsi, au-delà des terres émergées, les océans ou l'espace extra-atmosphérique) et de s'affranchir de la hantise millénaire de la pénurie.

De plus, l'espace terrestre est divisé, partagé entre près

de 200 États, reconnaissant mutuellement leurs frontières, et tenus à la fois par des principes communs (droit des peuples à disposer d'eux-mêmes, respect de l'intégrité territoriale...) et de multiples organisations internationales. L'ère des conquêtes territoriales, des dominations impériales est, semble-t-il, close. Dans ce monde de plus en plus interdépendant, la sécurité et la puissance ne résideraient plus dans l'appropriation brutale de territoires mais dans la manipulation subtile des flux. La force se brise soit contre les résistances nationales (États-Unis au Vietnam dans les années 60, Union soviétique en Afghanistan dans les années 80), soit contre la communauté internationale (Irak s'emparant du Koweït en août 1990, tout de suite isolé par la condamnation de l'Organisation des Nations Unies puis défait par une coalition sous le commandement des États-Unis). Désormais, le droit souverain de faire la guerre se trouvant paralysé, la paix ne reposerait plus sur des équilibres toujours mouvants entre les États, mais sur des mécanismes de sécurité collective, de police universelle : qu'un État viole le droit, tous les autres se rassemblent pour punir et ramener dans le droit chemin le délinquant.

Enfin la mondialisation, en désenchantant le monde, en mettant toutes les croyances en concurrence, en instaurant un marché planétaire des valeurs, des convictions, des idéologies, diffuserait un relativisme universel, dissolvant toutes les sources d'intolérance, autorisant chacun à se bricoler sa propre religion.

Mais la mondialisation n'efface en rien le poids de passé, les peurs et les hantises qui déchirent les hommes depuis des millénaires.

A) *L'espace et le temps mondiaux demeurent hétérogènes.* — D'un côté, la mondialisation consacre la participation de tous les hommes à une seule et même histoire (mais n'est-ce finalement pas le cas depuis l'aube de l'humanité ?) ; de l'autre côté, les histoires particulières continuent.

En cette fin de XXᵉ siècle, la terre paraît plus ou moins divisée entre zones pacifiées et zones turbulentes. Les premières (d'abord la triade Amérique du nord-Europe occidentale-Japon, mais aussi tous les pays s'insérant dans les échanges internationaux) acceptent pleinement, semble-t-il, la logique de la mondialisation : il ne s'agit plus de se battre pour des territoires mais de rivaliser pour des marchés ; la sécurité territoriale étant considérée comme irrémédiablement acquise, les enjeux de puissance résident dans le contrôle des flux. Les zones turbulentes (du Caucase au Proche-Orient, des Balkans à l'Extrême-Orient) demeurent marquées par de multiples affrontements territoriaux ; dans ces régions, les vieilles haines, loin d'être surmontées (comme, par exemple, entre Français et Allemands), gardent leur virulence.

Dans tous les conflits de cette fin de XXᵉ siècle, se retrouvent les deux mêmes logiques.

L'une, optimiste, fondée sur l'hypothèse d'un monde aux ressources infinies, est guidée par un but de réconciliation entre les peuples, entre les hommes. Son levier est un développement économique commun qui, en conduisant d'anciens ennemis à travailler, à s'enrichir ensemble, produira un avenir commun. Les différences, au lieu d'être source d'intolérance et de haine, se changeront en facteurs de coopération. Telle est la philosophie de la construction européenne, qui peut être analysée comme le laboratoire d'un système de rapports apaisés entre nations. Cette approche est exprimée, par exemple, par Nelson Mandela, président de l'Afrique du Sud de l'après-apartheid : la réconciliation entre Blancs et Noirs requiert une dynamique économique commune, facilitant l'acceptation par les premiers d'une nouvelle distribution de la richesse nationale, apportant aux seconds des signes concrets d'amélioration (écoles, hôpitaux, égoûts...). De même, lorsque le chef des Palestiniens, Yasser Arafat, demande des investissements en Palestine, il signifie bien que la paix repose sur des emplois, sur l'espoir d'une vie quotidienne meilleure. Dans une telle vision, les vieux conflits se recroquevillent, la mondialisation se définit comme un développement économique planétaire, rendant possible une solidarité universelle.

L'autre logique, classique, pessimiste, pluriséculaire, considère que toute sécurité exige une population homogène sur un territoire homogène. Telle est l'idée directrice de la *purification ethnique*. Celle-ci est-elle un archaïsme ou/et une idéologie de la mondialisation ? Pour ceux qui se sentent soit exclus des flux mondiaux, soit menacés dans leur identité par le métissage de toutes les différences, la constitution d'une forteresse, n'accueillant que les membres certifiés d'un même peuple, rejetant tout élément étranger, peut être regardée comme *la* solution : être entre soi, ne pas dépendre des autres ! D'où, de l'ex-Yougoslavie au Proche-Orient, des conflits âpres, sanglants pour l'édification d'États homogènes.

Dans l'esprit des hommes, la mondialisation suscite deux illusions extrêmes et se rejoignant : d'un côté, se fondre dans les flux planétaires ; de l'autre, s'en affranchir totalement. Singapour incarne bien le paradoxe de la mondialisation, l'adaptation instantanée, permanente aux évolutions mondiales se combinant avec une fermeture politique anxieuse.

B) *La mondialisation, si elle déstabilise toute exceptionnalité, n'efface pas les anomalies, les déséquilibres historiques.* — L'histoire des hommes est dominée par des permanences massives : par exemple, la Chine, l'empire des steppes (René Grousset) – cette stupéfiante construction qui, entre l'Europe, le Moyen-Orient et la Chine, ne cesse depuis des siècles de s'écrouler et de renaître, sa dernière incarnation étant l'Union soviétique... La mondialisation, amplificateur et accélérateur des flux, peut-elle dissoudre ces entités pluriséculaires, ces pôles toujours inquiétants parce que trop énormes, parce que toujours proches d'éclater et ne sauvant une unité aléatoire qu'en se repliant sur un orgueil anxieux et agressif ? Ces colosses, pénétrés, envahis par les vagues de la mondialisation, sont-ils voués à se décomposer ? Ou au contraire la Chine sera-t-elle toujours la Chine, la Russie la Russie ?

La *Chine* est si vieille qu'elle peut se croire éternelle. Pourtant, ainsi que le matérialise la muraille de Chine, et comme ne cesse de le confirmer son histoire, l'empire du Milieu est marqué par la double hantise de l'invasion par les barbares de la steppe et de la décomposition interne. La Chine, après avoir retrouvé une unité convulsive par une fermeture quasi-totale sous le règne de Mao Zedong (1949-1976), s'ouvre, depuis la fin des années 70, au vent de la mondialisation et retrouve très vite les mêmes tensions (par exemple, entre l'intérieur, agricole, arriéré, et la façade maritime, emportée par la fièvre des affaires ; entre la société, avide de consommer, et un pouvoir pétrifié). D'où une interrogation : le choc de la mondialisation brise-t-il irrémédiablement la continuité de l'histoire chinoise (l'ouverture étant irréversible et appelant peut-être l'éclatement de la Chine) ou au contraire provoquera-t-il, dans un avenir plus ou moins proche, le retour du balancier (fermeture, xénophobie, rétablissement d'une autorité absolue) ? En cette fin des années 90, la Chine garde ses contradictions : d'un côté, elle s'insère, comme elle ne l'a jamais fait, dans les circuits mondiaux, elle attire les investissements étrangers, elle met aux enchères ses offres de coopération – choisissant souvent pour partenaires ceux qui lui demandent le moins de compte sur son respect des droits de l'homme ; d'un autre côté, elle ne perd rien de sa susceptibilité, avide d'affirmer son pouvoir sur Hong-Kong, ne renonçant pas à Taiwan, revendiquant un large morceau de la mer de Chine. La Chine « mondialisée » reste une grande puissance, n'oubliant rien de son humiliation passée, et attendant une reconnaissance éclatante.

La *Russie* est, elle aussi, « unique », par son climat, son immensité, sa position mi-européenne, mi-asiatique, son enclavement ; en outre, toute l'histoire du peuple russe est marquée par le malheur, la férocité des tsars et aussi la conscience d'être désigné par Dieu (pour être la troisième Rome, celle de la vraie foi) ou par l'Histoire (pour être la patrie du socialisme, la première terre de l'utopie communiste). Des années 20 aux années 80, l'URSS, reconstitution de l'Empire des tsars sous une légitimité marxiste-léniniste, est une forteresse close. Isolée des flux de la mondialisation (ainsi n'est-elle guère touchée par la crise économique capitaliste des années 30), l'URSS se fossilise et, en dépit d'un espionnage très efficace, reste en dehors des mutations des années 70 et 80 (informatique, télécommunications). Avec l'écroulement du communisme et la dissolution de l'Union soviétique (1991), la Russie n'est plus qu'une nation pauvre, dont les richesses sont pillées par des mafias. Pour bénéficier pleinement de la mondialisation, la Russie doit, semble-t-il, devenir « comme les autres » : une démocratie, un État de droit, une économie de marché accueillante pour les investissements étrangers. Mais la Russie peut-elle devenir « comme les autres » ?

Privée d'une poigne de fer, n'étant plus soudée par la conviction d'être assiégée par un monde extérieur hostile, n'est-elle pas vouée à se fragmcnter ?

2. Vers un affrontement mondial des civilisations ? — La mondialisation, en diffusant sur toute la planète les références, les valeurs occidentales, appelle de formidables réactions des autres cultures, se sentant menacées de disparition par la rationalité et la sécularisation, par « le désenchantement du monde ». D'où l'explosion des fondamentalismes, tout autant quêtes d'une pureté perdue, d'un âge d'or à ressusciter – ce moment des débuts, où la foi n'est pas encore corrompue – que tentatives inconscientes de modernisation d'une croyance (comme le furent, au XVIᵉ siècle, les protestantismes, prétendant incarner le « vrai » christianisme, et en fait inventant une religiosité moderne, intime, austère, établissant un dialogue sans intermédiaire entre Dieu et le fidèle).

Dans ce monde de la fin du XXᵉ siècle, les individus, les peuples, déracinés, ne trouvant plus dans l'État-nation un cadre incontesté de sécurité et d'identité, ne pouvant plus s'investir dans des idéologies à prétention universaliste (comme le marxisme-léninisme), ressentiraient leur culture comme la source majeure de solidarité, de protection face au déferlement de la mondialisation. « Le monde sera dans une large mesure façonné par les interactions entre sept ou huit grandes civilisations. Il s'agit des civilisations occidentale, confucéenne, japonaise, musulmane, hindoue, slave-orthodoxe, latino-américaine et probablement africaine. Les conflits les plus importants de l'avenir éclateront sur les lignes de clivage séparant ces civilisations » (Samuel P. Huntington, The Clash of Civilizations ?, *Foreign Affairs*, vol. 72, nᵒ 3, été 1993, p. 25).

L'accomplissement de cette vision implique, semble-t-il, deux conditions :

A) *Les civilisations seraient des blocs cohérents, imperméables aux influences extérieures et quasiment figés à travers le temps.* — Telle est notamment la philosophie du penseur allemand, Oswald Spengler, dans *Le déclin de l'Occident* (1918-1922) ; pour cet auteur, porte-parole du darwinisme culturel (les civilisations, comme les espèces, s'affrontent en une perpétuelle lutte à mort), l'Occident blanc, épuisé après des siècles d'hégémonie, serait voué à être submergé par de nouveaux barbares, les peuples de couleur.

Pourtant l'histoire montre que les civilisations, ensembles flous, contradictoires, aux frontières mouvantes, se heurtent et se mêlent dans le même mouvement (par exemple, dans l'Antiquité, la Grèce puis Rome et l'Orient ; au Moyen Age, la chrétienté et l'islam ; lors des grandes découvertes, l'Europe et les cultures non européennes). En cette fin de XXᵉ siècle, il n'est pas de culture qui ne soit remodelée par l'occidentalisation (l'Occident, lui, perdant le monopole de sa suprématie – son avance technique, sa modernité idéologique – et se trouvant peu à peu transformé par la découverte d'autres vérités). Si l'appartenance culturelle peut être un mode d'affirmation contre l'Autre (notamment, en ces années 90, l'islam contre l'Occident), le monde actuel offre bien d'autres points d'ancrage identitaire : toujours la nation, la religion, peut-être l'entreprise, ou enfin une communauté bricolée (bandes, mafias fournissant à l'individualisme exacerbé d'aujourd'hui des cadres collectifs qui ne sont pas imposés, hérités mais fabriqués par soi-même).

Les civilisations ne sont pas des réalités simples, homogènes, bien distinctes les unes des autres. Si la civilisation confucéenne se confond largement avec la Chine, la japonaise avec le Japon, l'hindoue avec l'Inde, la slavo-orthodoxe avec la Russie, la latino-américaine, née des conquêtes coloniales de l'Espagne et du Portugal, s'inscrit bien dans l'orbite occidentale, avec, certes, des pondérations très spécifiques (en particulier, poids de la catholicité mais aussi traces précolombiennes). Quant à l'islam, son histoire tourmentée, l'immensité de son aire d'expansion, du Maroc à l'Indonésie, de l'Europe à l'Asie centrale, entraînent en son sein des clivages multiples, le fondamentalisme, s'il est un dans sa mise en cause de l'Occident, se montrant différent d'un pays à un autre, d'une situation à une autre, avec, certes, des solidarités transnationales plus ou moins stables.

Par ailleurs, les lignes de partage entre civilisations, leur importance donnent lieu à des perceptions contradictoires, changeantes. Ainsi, de la Révolution d'Oc-

tobre 1917 à la chute de l'Union soviétique, l'antagonisme entre cette dernière et l'Occident peut être analysé
comme un conflit entre civilisations, l'une fondée sur l'individu et son initiative, l'autre sur la solidarité collective
(capitalisme contre communisme). Or, avec la détente à
partir des années 60, s'affirme, d'abord au sein du tiers
monde, la thèse – tout à fait défendable – que capitalisme
et communisme ne sont finalement que les deux faces
d'une même civilisation, la civilisation industrielle occidentale. A ce propos, lors de la Seconde Guerre mondiale, les États-Unis, cœur du capitalisme, et l'URSS,
patrie du socialisme, se retrouvent alliés contre l'Allemagne de Hitler, cette Grande Alliance se définissant
comme l'instrument du combat de la civilisation, de la
liberté, de la démocratie contre la barbarie et la tyrannie.
L'Allemagne écrasée, les deux amis redécouvrent qu'ils
appartiennent à des civilisations radicalement hostiles, et
c'est la Guerre froide.

B) *Communautés culturelles et entités politiques coïncidant, oppositions culturelles et rivalités politiques se
confonderaient.* — Certes il arrive qu'il y ait plus ou moins
fusion entre une civilisation et une unité politique (ainsi la
chrétienté et l'Empire romain, de Constantin le Grand au
IVe siècle au schisme d'Orient en 1054 ; ainsi le communisme et l'Union soviétique, au moins de 1917 à l'avènement d'une seconde Mecque communiste – Chine
en 1949). Mais le plus souvent aires de civilisation et données politiques ne se recouvrent guère, entretiennent des
rapports compliqués.

L'Europe chrétienne du Moyen Age à la Réforme au
XVIe siècle forme incontestablement une civilisation. Pourtant elle se déchire de mille manières : entre féodaux, entre
rois et seigneurs, entre le pape et les rois, entre le pape et
l'empereur. Même les croisades, expression de l'unité de
la chrétienté contre l'islam, n'arrêtent pas ces rivalités.
Avec l'émergence des protestantismes et donc la cassure
de la chrétienté, l'Europe cesse-t-elle, en tant que civilisation, d'être une ? C'est ce que semble montrer l'extrême
sauvagerie des guerres de religion. Pourtant, aux XVIIe et
XVIIIe siècles, « l'Europe chrétienne (à la Russie près) [est]
comme une espèce de grande république partagée en plu-

sieurs États, les uns monarchiques, les autres mixtes... »
(Voltaire, *Le siècle de Louis XIV*, 1751) ; mais cette certi-
tude d'appartenir à une même civilisation n'empêche pas
de dépecer des États (Pologne à la fin du XVIIIe siècle). Au
XIXe siècle, l'Europe, ébranlée par l'affrontement entre la
légitimité monarchique et le droit des nationalités, constitue malgré tout une civilisation, avec, à la fois, son héritage chrétien, sa foi dans le progrès et la conviction de sa
supériorité. En 1914, cette unité de civilisation n'empêche
guère l'Europe de s'enfoncer dans une effroyable bouche-
rie. Elle en oublie cette unité : chacun des deux camps,
pour justifier son combat, se proclame la Civilisation, le
Bien, l'ennemi étant la Barbarie, le Mal.

En cette fin du XXe siècle, l'un des grands conflits de la
mondialisation opposerait l'Occident et l'islam. En fait,
loin de s'organiser en un face à face entre deux blocs idéo-
logico-politiques, il s'agit d'une imbrication de conflits en
interaction.

Tout d'abord les sociétés musulmanes butent contre leur
échec, leur humiliation. En ces années 90, aucune n'a réussi
son développement économique et politique, que la voie
choisie soit celle du modernisme (de l'Égypte de Nasser à
l'Irak de Saddam Hussein) ou de l'islamisme (Iran de Khomeini). Cette quête déçue de la modernité conduit à diabo-
liser l'Occident, à trouver toutes les explications possibles
pour le rendre responsable des ratages du monde musul-
man. En même temps ces sociétés sont profondément pénétrées par l'occidentalisation (que ce soit l'appétit – souvent
frustré – de consommer ou le développement du contrôle
des naissances, au moment où l'islamisme se donne pour
priorité de maintenir la femme dans sa soumission tradi-
tionnelle). L'islam est alors exalté comme porteur d'une
société idéale. Du point de vue de la mondialisation, le
conflit Occident-islam n'est qu'une des expressions des formidables tensions entre le métissage généralisé des idées,
des croyances et les innombrables aspirations désespérées à
une identité pure, authentique.

Quant aux sociétés occidentales, tout comme, des
années 20 aux années 60, le communisme les faisait trem-
bler en mettant à nu les vices du capitalisme, l'islam y est
ressenti comme une menace, parce qu'il aurait ce que
l'Occident souffrirait de ne plus avoir : une spiritualité

exaltée, des liens communautaires forts. Toutefois ce défi de l'islam est très variable d'un pays occidental à l'autre, la France étant bien la plus touchée du fait de sa situation géographique, de ses relations passionnelles avec le Maghreb, du nombre des musulmans (français et non français) sur son territoire et enfin de l'identité jacobine, très soucieuse de laïcité.

Le conflit Occident-islam est donc multiforme. Il est interne aux sociétés, aux individus. Peut-il devenir un conflit géopolitique classique ? Il faudrait que l'islam s'incarne dans une puissance, qui serait en mesure de se poser comme le porte-parole exclusif de cette religion et disposerait d'énormes capacités militaires (comme le furent l'empire des Omeyaddes, celui des Abassides et – pour l'islam sunnite – l'Empire ottoman à son apogée). Il faudrait également que les circonstances fassent que l'Occident soit conduit à former un bloc contre cette puissance (comme il l'a fait, à la fin des années 40, contre l'URSS, dans un environnement très précis : présence de l'armée soviétique au cœur de l'Europe, souci des États-Unis de ne pas perdre l'Europe).

Ainsi la mondialisation ne fait-elle pas disparaître les conflits traditionnels (enjeux territoriaux, rivalités de puissances)... L'homme, ses peurs, ses ambitions ne changent guère. La nouveauté vient de deux facteurs : tout d'abord, la multiplication des liaisons de toutes sortes, qui élargit la sphère de résonance de tout affrontement et pousse à l'implication d'un nombre croissant d'acteurs hétéroclites ; ensuite, l'émergence diffuse d'un intérêt mondial, se superposant aux pôles existants d'intérêts (en premier lieu, les États). Mais cet intérêt n'est pas représenté par une autorité légitime ; au sein de l'Organisation des Nations Unies, qui regroupe la quasi-totalité des États de la planète, toute décision est finalement un compromis entre des intérêts étatiques. Comme l'illustrent les grandes négociations dans le domaine de l'environnement, cet intérêt mondial fait l'objet de définitions contradictoires et se trouve en discussion permanente.

Chapitre V

NORMES UNIVERSELLES,
ÉTAT MONDIAL?

La mondialisation, surtout depuis la seconde moitié du
XIXe siècle, avec les premières unions techniques universelles, est indissociable d'un processus de promotion de
normes planétaires. A l'issue de la Première Guerre mondiale, la double création de la Société des nations (SDN) et
de l'Organisation internationale du travail (OIT) marque
bien la prise de conscience, certes encore bien fragile, que
toute paix requiert deux piliers : un dispositif de préven-
tion, de maîtrise et de règlement des conflits entre États ;
mais aussi des règles sociales internationales, afin de disci-
pliner la compétition économique, d'éviter qu'elle ne soit
faussée par des inégalités dans les législations protégeant
les travailleurs. La fin de la Seconde Guerre mondiale
entraîne, sous l'impulsion des États-Unis, la formation
d'une vaste configuration d'organisations à vocation
mondiale : l'Organisation des Nations Unies (ONU), se
substituant à la SDN ; le Fonds monétaire international
(FMI) ; une organisation internationale du commerce, qui
entre en vigueur en 1947 sous la forme d'un accord provi-
soire (Accord général sur les tarifs douaniers et le commerce – GATT, selon son sigle anglo-américain –, remplacé
en 1995 par l'Organisation mondiale du commerce –
OMC) ; enfin, des institutions spécialisées couvrant des
domaines techniques réclamant une coopération internationale étroite : aviation civile, agriculture, éducation,
santé...
Par ailleurs, dans le sillage de la guerre, se produit,
avec la décolonisation, une mutation radicale du système
politique mondial : celui-ci, des grandes découvertes aux
deux guerres mondiales, s'organise autour des rivalités

entre les grandes puissances européennes (les États-Unis et le Japon rejoignant le jeu dans la seconde moitié du XIXᵉ siècle) ; avec l'émancipation des peuples colonisés, se constitue, pour la première fois dans l'histoire de l'humanité, un espace politique mondial. Deux ou trois chiffres résument ce basculement : en 1945, 51 États participent, à San Francisco, à la conférence fondatrice de l'ONU ; en 1996, l'ONU a 185 États membres (les jeux Olympiques d'Atlanta en accueillant, la même année, 197).

Il existe donc un système institutionnel universel. Du point de vue de la mondialisation, deux questions s'imposent : s'il y a bien multiplication de normes universelles, celles-ci sont-elles et peuvent-elles être concrètement applicables à tous ? Ensuite ces normes sont-elles porteuses d'un pouvoir politique mondial ? Ces interrogations se retrouvent dans cinq domaines : **la monnaie et la finance ; le commerce ; les droits de l'homme ; l'atome ; le maintien de la paix.**

I. — Monnaie et finance

Pour les États-Unis, principal vainqueur de la Seconde Guerre mondiale, la paix, en 1945, doit être globale : elle ne peut se contenter d'assurer un équilibre entre les puissances ; elle exige une prospérité mondiale et, d'abord, des mécanismes visant à empêcher que ne se reproduise une crise économique analogue à celle des années 30 (cause de tous les engrenages tragiques ayant conduit à la guerre).

De cette vision, découlent notamment les accords de Bretton Woods (22 juillet 1944). Ces accords mettent sur pied un système monétaire à vocation mondiale : les États participants acceptent des règles (en premier lieu, parité fixe de leurs monnaies) ; un Fonds monétaire international (FMI) veille au respect des règles et aide les États en difficulté à rétablir leur équilibre. La reconstruction accomplie, ce système ne fonctionne normalement qu'une dizaine d'années, autour de la décennie 60.

Trois facteurs sinon disloquent le système, tout au moins provoquent son assouplissement très considérable (abandon des parités fixes pour des taux de change fluctuants, par les accords de Kingston – Jamaïque – du

8 janvier 1976 : le cours des monnaies n'est plus fixé par la décision des gouvernements mais par les marchés) :

— *Le tournant des États-Unis.* En 1945, le système monétaire international a pour centre naturel les États-Unis ; ceux-ci produisent alors la moitié de la richesse mondiale ; leur monnaie, le dollar, est équivalente à l'or (35 $ l'once). Cette position centrale leur impose de veiller à ce que leur monnaie ne soit pas attaquée (si elle l'est, ses détenteurs l'échangent contre de l'or et précipitent sa chute). Le 15 août 1971, le président des États-Unis suspend la convertibilité du dollar en or et, en même temps, procède à une quasi-dévaluation. Par ce geste historique, il rétablit la liberté de manœuvre monétaire des États-Unis et met fin à « l'indifférence bienveillante » *(benign neglect),* qui doit guider la puissance gardienne d'un ordre monétaire.

— *L'arrivée de nouveaux protagonistes.* Les hausses massives du prix du pétrole dans les années 70 enrichissent brutalement ses exportateurs (principalement des États du Moyen-Orient). Ceux-ci, grâce à leurs pétrodollars, entrent dans les circuits financiers internationaux. Puis c'est le tour des Nouveaux Pays industriels. Par ailleurs, la croissance économique mondiale, le développement des échanges stimulent l'endettement (c'est par ce biais que les pays les plus pauvres, dépourvus de ressources financières, sont attirés dans les réseaux internationaux).

— *Un marché planétaire des capitaux.* Ici se combinent au moins quatre dynamiques : explosion de la demande (États pour le financement de leurs déficits, entreprises en quête de capitaux pour se mondialiser) ; augmentation de l'offre (enrichissement général de la planète ; fonds de pension collectant et plaçant l'épargne dans la perspective de la retraite) ; intensification et perfectionnement des connexions entre les marchés ; enfin, déréglementation.

Dans ce champ de la régulation monétaire et financière, la mondialisation se manifeste de quatre manières :

1. **Le poids croissant des opérateurs privés jouant en permanence entre les marchés.** — L'espace financier international échappe aux États et aussi aux institutions financières traditionnelles (et d'abord aux grandes banques

établies). La mondialisation, c'est notamment la constitution d'un champ planétaire de jeu, auquel chacun peut avoir accès. Ainsi s'imposent de nouveaux colosses, les fonds de pension, organismes de placement alimentés par l'épargne-retraite de salariés. Sur les marchés de devises, interviennent des « pirates », les *hedge funds* (fonds de couverture ou d'arbitrage), créés aux États-Unis dans les années 80 ; ce sont des fonds communs d'investisseurs, en quête de rendements élevés par la spéculation sur les monnaies et les taux d'intérêt, avec, bien sûr, des risques considérables.

Dans les années 90, l'un des dirigeants de ces fonds, George Soros, devient soudainement l'un des héros de la mondialisation. En septembre 1992, alors que la livre est vivement secouée, Soros déclare que la monnaie britannique ne tiendra pas la parité fixée dans le Système monétaire européen (SME). Et, le 17 septembre, la livre sort du SME. Soros a été plus fort que la vieille Angleterre ! Le voici regardé comme un individu tout-puissant, lisant l'avenir des marchés, les manipulant à sa guise. En fait, si Soros est un personnage type de la mondialisation, c'est par ses identités multiples : juif, d'origine hongroise et de nationalité américaine ; financier et philanthrope engagé dans la transition des pays de l'Est.

2. **La soumission des autorités publiques aux marchés.**
— L'amplification des flux financiers, l'écart vertigineux entre les masses de capitaux en circulation et les ressources des banques centrales excluent évidemment tout contrôle par ces dernières des marchés ; au contraire, elles ne peuvent qu'au mieux ruser avec les opérateurs. Ainsi, en 1992-1993, les banques centrales européennes sont-elles bousculées par plusieurs fièvres spéculatives contre les monnaies les plus vulnérables du SME. Le 1er août 1993, les ministres des Finances de la Communauté, afin de décourager ces spéculations, élargissent très substantiellement les marges de fluctuation autorisées pour les monnaies participantes ; ils agissent conformément à une logique physique simple (faire que les coups de celui qui frappe – l'opérateur – se perdent dans une masse la plus élastique possible).

3. **Une concertation systématique.** — Dans les années 70, la dislocation de la discipline légale (abandon des parités fixes) conduit les États les plus intégrés dans les circuits financiers – donc les plus sensibles à leurs ébranlements – à ériger la concertation en une pratique systématique. C'est notamment, en 1975, la mise sur pied du G7, réunissant les sept principales démocraties industrielles (États-Unis, Japon, Allemagne, France, Royaume-Uni, Italie et Canada). Le G7 peut être analysé comme un réseau de réseaux, couronnant les innombrables liaisons entre entreprises, banques, États...

Le G7 illustre bien les ambiguïtés, les points d'interrogation de la mondialisation. Tout d'abord (même si, pour des raisons politiques, la Russie bénéficie d'un strapontin), il s'agit d'une enceinte occidentale, d'où restent exclus les nouveaux créateurs de richesse (Nouveaux pays industriels, Chine...). C'est l'un des signes du décalage entre les configurations institutionnelles, souvent héritées d'un passé plus ou moins proche, et les réalités en pleine évolution de la mondialisation. Par ailleurs, à quoi sert le G7 ? Est-ce un dispositif de gestion de l'économie mondiale, d'une souplesse adaptée aux fluctuations complexes d'un monde mondialisé ? Ou n'est-ce qu'un faux-semblant, les communiqués communs masquant plus ou moins mal la poursuite de politiques égoïstes, le désarroi des grands face aux mutations en cours ? La concertation exprime un besoin typique de la mondialisation : elle organise l'échange d'information, la comparaison systématique des performances ; elle rassure les uns et les autres, en leur confirmant qu'ils se trouvent face aux mêmes incertitudes. Mais la concertation ne moud que ce qu'on lui injecte.

4. **L'ébauche chaotique d'une solidarité planétaire.** — La mondialisation implique-t-elle une humanité plus solidaire, plus consciente d'un destin commun ? Dans le domaine économique et monétaire, le souvenir du krach de 1929 pèse très lourd, toute crise financière étant immédiatement décortiquée pour déterminer si elle serait porteuse d'une nouvelle tragédie mondiale (ainsi la faillite du Mexique en 1982, le krach boursier d'octobre 1987, à nouveau la faillite du Mexique en décembre 1994). Jus-

qu'en cette fin des années 90, le désastre ne s'est pas répété.

Ici apparaît bien l'une des grandes dimensions de l'organisation de la mondialisation : le développement de mécanismes de maîtrise des crises, de solidarité, dictés moins par l'idéalisme que par la conviction – de bon sens – que la chute de l'un entraînera tous les autres ; Alors que, dans les années 30, en particulier du fait même de la nouveauté apocalyptique de la crise, le « chacun pour soi » l'emporte (dévaluations compétitives, fermeture des marchés), les structures collectives se renforcent, se perfectionnent depuis la fin de la Seconde Guerre mondiale.

En août 1982, le Mexique suspend ses paiements. C'est tout de suite la panique : l'Argentine, le Brésil et d'autres pays du Tiers Monde doivent suivre, entraînant une décomposition du système économique et financier international. Pourtant, l'affaire est jugulée par une combinaison de mesures : rééchelonnement des dettes ; arrangements exceptionnels entre le FMI et les États débiteurs ; liens entre la fourniture de crédits à ces États et la mise en place par ces derniers de réformes les insérant mieux dans la compétition internationale (politiques d'« ajustement structurel ») ; création d'un marché secondaire de la dette, sur lequel se vendent et s'achètent des titres de créance.

En décembre 1994, le Mexique, qui, pourtant, a profondément réformé son économie, plonge à nouveau dans une crise financière. Les États-Unis, qui ont établi, le 1er janvier 1994, avec le Mexique un espace économique intégré (Association de libre échange nord américaine – ALENA), se sentent en première ligne : que le Mexique s'effondre, et c'est la fin du projet américain d'une unité économique panaméricaine. Le président Clinton mobilise tout son crédit politique : 50 milliards de dollars d'aide sont obtenus du FMI.

Le Mexique du milieu des années 90 souligne les contradictions de la mondialisation : au moment où ce pays est sauvé par un plan international, éclate, dans sa province du Chiapas, une rébellion. Celle-ci, en partie due à la rigueur économique et financière qu'impose justement au Mexique la mondialisation, invoque celui qui, pour les Mexicains, incarne la justice, Zapata. Face au déferlement de la mondialisation, les peuples s'accrochent à ce qu'il y a de plus affectif en eux : leur histoire, leurs légendes, leurs mythes.

II. — Commerce

A l'issue de la Seconde Guerre mondiale, à côté de la monnaie et du maintien de la paix, le troisième pilier, sur lequel, selon les États-Unis, doit reposer l'ordre mondial, est le commerce : la liberté des échanges, le démantèlement de tous les obstacles les entravant assureront le triomphe de la division internationale du travail et, au-delà, la richesse des nations. D'où la création d'un cadre, fixant des principes et des règles d'ambition universelle, et surtout organisant des négociations pour la suppression progressive de toutes les barrières : tel est l'Accord général sur les tarifs douaniers et le commerce – GATT –, instauré en 1947.

De la fin des années 40 aux années 70, ce système d'échanges est occidental, associant les États-Unis (plus le Canada), l'Europe occidentale et le Japon. Le bloc soviétique vit en quasi-autarcie. L'Asie, le Moyen-Orient, l'Afrique émergent de la colonisation et, souvent, optent pour des régimes clos, ne vendant que des produits bruts. Dans ce système occidental, la priorité est simple : réduire les droits de douane. Les États-Unis et l'Europe occidentale parlent le même langage. Le Japon, lui, est à part, du fait de son origine asiatique, de la fermeture de son économie et de sa société ; si, à la suite de sa défaite en 1945, il appartient à l'Occident, sa renaissance spectaculaire, sa percée dans des secteurs dont le « vieil » Occident avait le monopole (des chantiers navals à la sidérurgie, de l'optique à l'automobile) le font percevoir comme un concurrent redoutable, disposant d'atouts quasi-magiques.

A partir des années 70, en une vingtaine d'années, le système international d'échanges se mondialise. Les pays exportateurs de pétrole émergent, au moins dans la décennie 70, grâce à leur or noir et aux revenus considérables qu'ils en tirent alors, comme des clients de poids que se disputent les pays occidentaux. Puis entrent en scène, imitant le Japon, les Dragons d'Asie, Nouveaux pays industriels : Corée du Sud, Taiwan, mais aussi

Chine, Thaïlande, Malaisie, Indonésie. En 1989-1991, l'écroulement des régimes communistes et de l'URSS met fin à l'enfermement de cet immense bloc.

Le 1er janvier 1995, l'OMC remplace le GATT. L'OMC est une organisation permanente. Sa vocation universelle est évidente : en 1996, elle rassemble déjà plus de 110 États (l'ONU en comprenant, elle, 185) ; en outre, des dizaines d'États – et d'abord la Russie et la Chine – frappent à la porte. Du point de vue de l'organisation de la mondialisation, l'OMC pose deux interrogations fondamentales.

1. L'organisation de la mondialisation réclame des règles universelles. Mais jusqu'où ces règles peuvent-elles aller ? — Le GATT puis l'OMC exigent de ses membres des conditions, en particulier un régime de liberté des échanges avec l'extérieur. Si la Russie et la Chine ont quelque difficulté à rejoindre l'OMC, c'est parce qu'aux yeux de membres de l'organisation (notamment États-Unis) ces deux colosses, très imprégnés d'étatisme, ne fournissent pas des garanties suffisantes de liberté commerciale.

En ces années 90, de vives controverses se déroulent autour de normes, de clauses à l'introduction desquelles des États souhaitent lier la liberté du commerce.

A) *La clause sociale.* — En 1994, au moment où vont être signés les accords du cycle de l'Uruguay *(Uruguay Round),* libéralisant considérablement le commerce mondial et créant l'OMC, les États-Unis et la France font valoir que nombre d'États (du Tiers Monde) faussent la concurrence internationale grâce à des avantages indus (législations du travail et protection sociale inexistantes, travail des enfants ou des prisonniers) ; la liberté des échanges ne devrait bénéficier qu'aux États ne faisant pas de « *dumping* social », c'est-à-dire étant en conformité avec diverses normes sociales.

Pour les États occidentaux les plus libéraux en la matière (d'abord Royaume-Uni), une telle clause serait contraire aux principes du libre échange et du GATT, qui excluent tout contrôle de l'origine des produits, donc de leurs conditions de fabrication (ces conditions constituant justement le domaine où doit s'exercer la concurrence).

Pour les États du Sud, la clause sociale ne peut être que

du protectionnisme déguisé. D'une part, l'Occident, lui, garde une avance décisive : une productivité plusieurs fois plus élevée que celle du Tiers Monde. D'autre part, comment demander à des pays encore pauvres d'établir des dispositifs sociaux au financement extrêmement coûteux (l'État-providence en Occident ayant crû et fonctionné grâce à la croissance des Trente Glorieuses et souffrant gravement en cette fin du XXᵉ siècle, du fait, notamment, du ralentissement de la croissance) ? Ici surgit l'interrogation centrale : quelles règles communes possibles entre une multitude d'États, qui, outre la diversité de leurs cultures, connaissent des écarts très importants de développement ?

La question de la clause sociale est appelée à être une source majeure de débat entre le Nord et le Sud. Les pays du Sud y sont résolument hostiles. Chez les plus dynamiques d'entre eux, les salaires grimpent déjà à vive allure ! En Occident, l'impact des avantages sociaux du Sud donne lieu aux évaluations les plus contradictoires.

Demeure tout de même le problème des pratiques indignes aux yeux de l'Occident (exploitation des enfants, des femmes, des prisonniers). Pour les États-Unis, l'appartenance à l'OMC ne doit être ouverte qu'aux États incontestables dans ces domaines. En 1996, la Commission européenne résume bien la perspective humaniste occidentale : « Certaines pratiques, comme l'interdiction de la liberté d'association ou le travail forcé, ne peuvent être justifiées en termes de niveau de développement économique. Les lois sociales fondamentales, interdisant le travail forcé, le travail des enfants, garantissant la liberté d'association ou le droit à la négociation collective, sont universellement reconnues au sein de l'Organisation internationale du travail (OIT). Il est tout à fait naturel que des éléments aussi essentiels soient pris en considération dans l'évaluation des relations entre la Communauté européenne et les États tiers. Il est légitime de discuter des questions sociales dans un cadre multilatéral. »

Pour les défenseurs intransigeants des droits de l'homme, il faut boycotter les produits fabriqués dans des conditions ne respectant pas ces règles (par exemple, ne pas acheter des vêtements faits par des enfants). Mais surgissent des interrogations délicates : les premiers punis ne sont-ils pas les enfants, privés d'un emploi dont leurs familles attendent impatiemment le salaire, même misérable ? Suffit-il de décréter, à des milliers de kilomètres, que telle ou telle attitude est scandaleuse pour qu'elle disparaisse ? Si l'un des effets de la mondialisation est de mettre sur les marchés des nations riches des biens fabriqués par des enfants du Tiers Monde, elle n'abolit pas les réalités locales : l'amélioration de la condition des enfants suppose la combinaison de plusieurs processus (sans doute des pressions internationales mais, en premier lieu, un développement économique et culturel amenant les populations des pays pauvres à regarder et à traiter l'enfant autrement).

B) *La clause écologique*. — La problématique est comparable à celle de la clause sociale. Pour les mouvements écologistes d'envergure internationale, en général anglo-américains, il faut empêcher tout commerce de produits « écologiquement douteux ». Mais qu'est-ce qu'un produit « écologiquement douteux » ? À qui revient-il de le déterminer ?

Au tournant des années 80-90, cette problématique reçoit une illustration exemplaire des contradictions de la mondialisation. Les États-Unis, sous la pression de mouvements écologistes, interdisent l'importation de thons mexicains : ceux-ci sont pêchés par des filets capturant une fois un quart de plus de dauphins que les filets américains. Les filets mexicains sont donc écologiquement nocifs ! L'affaire vient devant le GATT. Fin 1991, celui-ci donne tort aux États-Unis.

Cette affaire montre bien le fossé des approches (comment un pêcheur mexicain apprécierait-il qu'il attrape une fois un quart trop de dauphins ?) et aussi l'imbrication des enjeux (les revendications écologistes, même si elles se veulent pures, coïncidant avec des intérêts commerciaux – ici, la protection des pêcheurs américains).

2. **Le système international reste fondé sur la souveraineté des États. Or l'organisation de la mondialisation, impliquant une loi internationale de plus en plus large, ne requiert-elle pas, dans le même mouvement, des méca-**

nismes de surveillance et de règlement des différends limitant et contraignant cette souveraineté ? — Alors que, pour le traitement des litiges commerciaux entre les États membres, le GATT n'avait qu'un mécanisme facultatif, dont les décisions ne devenaient juridiquement contraignantes que si elles étaient acceptées par les parties, l'OMC, elle, crée un Organisme de règlement des différends : en cas de litige, une procédure complexe est mise en branle ; celle-ci achevée, l'État condamné doit se mettre en conformité ; s'il ne le fait pas, il peut être frappé par des mesures de rétorsion.

C'est là une novation importante. Les États-Unis, très susceptibles sur leur souveraineté, et très conscients d'être la première puissance de la planète, acceptent mal l'OMC : comment cette nation exemplaire, fondée sur le libre consentement de son peuple, peut-elle se soumettre à un dispositif, contrôlé par d'autres, et qui la met à égalité avec n'importe quel autre pays ? Finalement le président Clinton obtient la ratification par le Congrès. Celui-ci a posé des conditions : dans le cas où, en cinq ans, deux règlements seraient défavorables aux États-Unis, ceux-ci reconsidéreraient leur appartenance à l'OMC.

Surtout, cet accord des États-Unis montre, semble-t-il, qu'en cette fin de XXe siècle la première puissance du monde, aussi exceptionnelle qu'elle se ressente, ne serait plus en mesure de se poser au-dessus de la loi (celle-ci étant faite pour la cohorte des pays petits et moyens). La mondialisation ou plus exactement le développement des interdépendances nivèleraient les inégalités, le plus grand comme le plus petit des États devant se soumettre de la même manière à la règle afin que tous la respectent.

III. — Droits de l'homme

La mondialisation appelle-t-elle le ralliement de tous les hommes à une même conception de l'humanité ? Tel est le débat de fond que soulève la diffusion de droits de l'homme.

1. **La diffusion planétaire des droits de l'homme.** — Dès son émergence sur la scène philosophique et politique aux XVIIe-XVIIIe siècles, la philosophie des droits de l'homme se

97

veut universelle. D'emblée cette universalité est chargée
d'ambiguïtés : ainsi, qu'est-ce qu'un homme, un individu
digne d'avoir des droits ? Les pauvres, les femmes, les
Noirs sont-ils des « hommes » ? En outre, les droits de
l'homme, loin de constituer un ensemble cohérent et fixe,
défini par tous de la même manière, ne cessent d'être un
enjeu entre, en particulier, libéraux et socialistes, colonisateurs et colonisés, États capitalistes et États communistes, Nord et Sud. Par exemple, le droit des peuples à
disposer d'eux-mêmes, depuis la Révolution française,
donne lieu à des conflits interminables et toujours en
cours, chacun reformulant les mêmes questions : qu'est-ce
qu'un peuple ? Comment prouve-t-il son existence ? Quels
liens entre peuple et territoire ?

Quelles que soient ces contradictions, il y a bien, surtout depuis la fin de la Seconde Guerre mondiale, universalisation des droits de l'homme : en 1948, Déclaration
universelle des droits de l'homme ; en 1966, deux pactes,
l'un relatif aux droits civils et politiques, l'autre aux droits
économiques, sociaux et culturels. Au total, plus d'une
vingtaine de conventions (chacune liant au moins une
centaine d'États), 140 à 150 (!) droits répertoriés.
En 1981, les États islamiques adoptent même une Déclaration islamique universelle des droits de l'homme !

Enfin, dans les années 80-90, le reflux des dictatures en
Amérique latine, l'effondrement des régimes communistes, la déstabilisation des autoritarismes africains pro-
mettent un âge d'or démocratique, même si résistent de
terribles bastions (principalement la Chine).

2. **Universalité des droits de l'homme ?** — Si, pour l'Occident, les droits de l'homme représentent l'une des expressions de son universalisme naturel, ils ne peuvent qu'être
ressentis par les peuples non occidentaux comme une philosophie importée. Pourtant, en cette fin de XXe siècle, leur
universalité semble admise, comme l'indique la deuxième
Conférence mondiale des Nations Unies des droits de
l'homme (Vienne, juin 1993). Environ 10 000 personnes,
dont 4 500 représentant 180 États, y participent. La Déclaration finale confirme cette universalité et pose que « la
promotion et la protection [de ces droits] est une préoccu-
pation légitime de la communauté internationale ».

Il y a bien « globalisation de la démocratie. Même les régimes qui ne pratiquent pas la démocratie s'en réclament ou justifient leurs pratiques non démocratiques en invoquant une période de transition. La situation est différente de celle des années 30 : Hitler n'a jamais dit que le nazisme était une transition vers la démocratie » (Yoshikazu Sakamoto, intellectuel progressiste japonais, *Le Monde*, 8 décembre 1992). Pourquoi ce ralliement des non-Occidentaux à la démocratie ? La démocratie et surtout son fondement, l'individualisme, apparaissent nécessaires pour accéder à la modernité, ce régime organisant les conditions les plus favorables possibles (d'abord la liberté) pour l'épanouissement de la créativité, regardée comme la clé de la compétitivité et de la prospérité. Cet impératif de créativité condamne tous les autoritarismes.

Ce triomphe des droits de l'homme est en fait lourd de conflits. Ces droits, leur interprétation constituent des enjeux politiques. Depuis les années 70, lors de la détente Est-Ouest, ces droits se révèlent être une arme redoutable pour inquiéter puis déstabiliser les totalitarismes (d'abord l'URSS, aujourd'hui la Chine). Demain, les « damnés de la terre », les masses pauvres retourneront peut-être ces droits (comme les colonisés l'ont fait pour obtenir leur émancipation) contre l'Occident pour réclamer un monde enfin juste. De même, en cette fin de siècle, ces droits, dans la ligne de l'idéologie bourgeoise de 1789, sont brandis pour défendre l'individu contre toutes les tyrannies collectives ; demain, comme au temps du marxisme-léninisme triomphant et de l'Union soviétique, s'affirmera peut-être une conception communautaire des droits de l'homme. Bref, comme le montre en particulier l'histoire des religions, toute unification des hommes autour des mêmes valeurs est indissociable de luttes d'interprétation, se mêlant à des rivalités plus réelles pour le pouvoir et la richesse.

IV. — **Atome**

L'invention de la bombe atomique est l'un des grands événements du xxᵉ siècle, qui ont fait sentir aux hommes l'unité de leur destin concret : l'arme nucléaire, par sa puissance phénoménale, donne à l'humanité la capacité de s'anéantir, de se suicider. Du point de vue de la mondialisation, de son organisation, le fait nucléaire est bien l'un des domaines où s'est établi un ordre quasi planétaire, se heurtant aux contradictions typiques du monde mondialisé.

1. **Un ordre nucléaire bien classique**. — L'arme nucléaire, par sa nouveauté terrible, semble devoir appeler une organisation politique radicalement nouvelle. En juin 1946, les États-Unis font devant l'Assemblée générale des Nations Unies une proposition très ambitieuse (Plan Lilienthal-Acheson-Baruch) : la gestion de l'atome doit être confiée à une Autorité internationale du développement atomique. Le plan échoue ; pour l'Union soviétique de Staline, maladivement méfiante, il s'agit d'une ruse américaine visant à la priver de la Bombe ; quant aux États-Unis, il n'est pas certain que leurs militaires soient très enthousiastes devant la perspective d'abandonner un si magnifique « jouet » à une instance internationale !

L'ordre nucléaire, qui s'édifie à partir des années 60, obéit au jeu le plus traditionnel de la puissance. Les États-Unis et l'Union soviétique, qui sont pourtant les deux pires ennemis, se rapprochent, guidés par une hantise commune : que d'autres puissances (par exemple, France, Chine...) acquièrent cette arme extraordinaire et donc leur dérobent cet avantage décisif ! Le 1ᵉʳ juillet 1968, à l'initiative des deux super-grands, le traité de non-prolifération nucléaire (TNP) est ouvert à la signature. Il constitue la pierre angulaire de l'ordre nucléaire mondial.

Le TNP s'articule autour d'une inégalité fondamentale :

— les États disposant de l'arme nucléaire le 1ᵉʳ janvier 1967 (États-Unis, URSS, Royaume-Uni, France et Chine). Ceux-ci, s'ils deviennent parties au traité, peuvent conserver leurs capacités nucléaires. Ils s'engagent à tout faire pour empêcher la diffusion de l'arme nucléaire ;

— les États ne disposant pas de l'arme nucléaire le 1ᵉʳ janvier 1967. Ceux-ci, en adhérant au traité, renoncent à acquérir l'arme nucléaire.

En termes clairs, « ceux qui ont » (États dotés d'armement nucléaire ou EDAN) constituent un syndicat afin de garder le monopole de l'arme. « Ceux qui n'ont pas »

(États non dotés d'armement nucléaire ou ENDAN) reçoivent des contreparties assez vagues : « ceux qui ont » doivent les aider à développer leur potentiel nucléaire pacifique et faire des efforts de désarmement.

La Chine et la France, devenant, dans les années 60, puissances nucléaires par effraction (en dépit de la vive hostilité de Washington et Moscou), dénoncent le TNP comme la preuve d'un condominium américano-soviétique sur le monde. Cependant, au début des années 90, ces deux pays, désormais établis dans le domaine nucléaire, et admettant, à leur tour, que leur intérêt est de maintenir fermée la porte du club, rejoignent le TNP.

Le TNP est plutôt un succès. En avril-mai 1995, se tient à New York une conférence pour procéder au renouvellement du traité (conclu pour vingt-cinq ans). La rencontre s'achève par un renouvellement sans limitation de durée. 178 États sont parties au dispositif.

Pourquoi ce relatif succès ? Deux types opposés et peut-être tout aussi vrais d'explications peuvent être avancés. Pour l'une, idéaliste, identifiant la mondialisation à une ascension de l'humanité vers l'harmonie, c'est la manifestation d'une prise de conscience planétaire du risque d'anéantissement de l'humanité par elle-même. Pour l'autre explication, réaliste, sensible au jeu des intérêts, la réussite du TNP résulte d'une conjonction de données favorables : obstination des États-Unis et de l'URSS (puis de la Russie) à bloquer la prolifération ; ralliement des trois autres puissances nucléaires officielles ; situation particulière d'importants prétendants possibles à l'arme (Allemagne et Japon, contraints, pour bien prouver qu'ils ont changé, d'abdiquer toute ambition atomique militaire) ; coût financier et politique malgré tout très élevé de l'acquisition de la Bombe, écartant d'emblée la quasi-totalité des États, et même décourageant des États d'envergure (Argentine, Brésil, Afrique du Sud arrêtant leur programme) ; enfin, tout de même, intensification des sentiments antinucléaires dans les populations – par exemple, formidable retentissement de la catastrophe de Tchernobyl en 1986.

2. L'ordre nucléaire, illustration des contradictions de l'organisation de la mondialisation.

A) *La mondialisation, en particulier parce qu'elle s'épa-nouit au lendemain de la décolonisation, est indissociable d'un mouvement de démocratisation planétaire (émancipation des peuples dominés − allant jusqu'à l'éclatement de « prisons de peuples » (Yougoslavie, Union soviétique) −, émergence des individus, mouvements d'opinion transnationaux). Or le* TNP, *très conforme à la logique classique des relations internationales, est fondé sur l'inégalité : d'un côté, les puissances « responsables », ayant droit au feu nucléaire ; de l'autre côté, l'immense majorité des États, interdits d'accès au terrifiant « joujou » nucléaire.*

Lors de la Conférence de New York en 1995 pour le renouvellement du TNP, la revendication égalitaire montre qu'elle ne peut être ignorée par les grands, notamment parce qu'elle bénéficie du soutien diffus de l'opinion publique mondiale. Les ENDAN insistent pour que le renouvellement du TNP soit prolongé et consolidé par un traité d'interdiction des essais nucléaires (*Comprehensive Test Ban Treaty,* CTBT), *engageant tous les États et donc les* EDAN. Cette même année, la France, reprenant des essais nucléaires en Polynésie française, déchaîne contre elle cette opinion mondiale et se soumet, renonçant à tout nouvel essai.

Ce dossier du CBTB suggère que sans doute tout ordre mondial est aujourd'hui contraint sinon d'être égalitaire (c'est-à-dire de mettre tous les États sur le même pied), au moins d'avoir des dimensions égalitaires. Toutefois l'Histoire est toujours ironique : en 1996, la conclusion du CTBT est retardée par l'hostilité de l'Inde ; celle-ci, qui, pourtant, dès 1954, préconise une interdiction des essais nucléaires, reproche au projet de CTBT d'être inégalitaire, puisqu'en interdisant pour l'avenir tout essai il consacrera l'avance des EDAN qui, dans le passé, ont procédé à de tels essais et, grâce à eux, se sont dotés d'une force atomique !

Par ailleurs, en janvier 1993, est ouverte à la signature une Convention universelle d'interdiction des armes chimiques et bactériologiques. Ce texte, lui, impose à *tous* les États parties les mêmes obligations.

B) *La mondialisation appelle un ordre universel, ne laissant en principe personne lui échapper. Or, comme le commerce, la finance ou l'environnement, le nucléaire a ses dis-*

sidents, ses mauvais joueurs. — Pour eux, l'ordre mondial est injuste, il est l'instrument des possédants contre les non-possédants (le TNP consacrant, photographiant cette opposition). Ainsi des États, ayant un potentiel atomique plus ou moins clandestin, refusent d'adhérer au TNP (Israël, Pakistan, Inde). D'autres, parties au traité, trichent : l'Irak de Saddam Hussein, mis sous une tutelle sévère par les Nations Unies à la suite de sa défaite dans la guerre du Koweit en 1991 ; la Corée du Nord, État communiste à bout de souffle, qui, dans les années 1993-1995, monte un étonnant chantage (menaçant de se retirer du TNP – dont elle est partie depuis 1985 –, interdisant les inspections internationales de ses installations nucléaires, elle obtient, contre l'arrêt de son programme, la reconnaissance des États-Unis ainsi que la fourniture de réacteurs nucléaires).

C) *L'organisation de la mondialisation réclame des mécanismes sophistiqués de surveillance, couvrant la totalité du globe (fonction essentielle des satellites dans cette observation de notre planète). Or les États souverains restent le rouage central du système mondial, le bon fonctionnement de ces mécanismes reposant sur leur consentement, leur coopération et finalement leur capacité à contrôler leur territoire.*

En ce qui concerne le TNP, tout ENDAN partie au traité passe un accord avec l'Agence internationale de l'énergie atomique (AIEA) de Vienne. Celle-ci procède à des inspections régulières des installations nucléaires civiles afin de contrôler que l'État respecte bien ses obligations. Un tel dispositif requiert la coopération de l'État ; sans celle-ci, toutes les tricheries sont possibles : ainsi, à la suite de la défaite de l'Irak dans la guerre du Koweit en 1991, des contrôleurs de l'ONU, envoyés dans ce pays pour démanteler toutes les installations douteuses, constatent que l'Irak a maintenu un programme nucléaire militaire très ambitieux.

De même, la Convention d'interdiction des armes chimiques de 1993 crée une Organisation internationale pour l'interdiction des armes chimiques (OIAC), installée à La Haye. L'OIAC a une mission prométhéenne : vérifier les activités de toutes les industries chimiques (dans ce secteur, la même usine peut fabriquer des produits à usage tout aussi bien civil que militaire). L'efficacité du contrôle repose finalement sur la combinaison de deux éléments : la bonne volonté des États parties ; mais aussi la surveillance mutuelle des États, chacun pouvant demander à l'OIAC de procéder à une inspection n'importe où et sans délai, y compris dans des sites non déclarés.

Des mécanismes analogues sont concevables pour tout produit, toute activité, toute question sensible, des déchets dangereux aux déplacements de capitaux, de la drogue aux criminels de guerre.

Ces mécanismes supposent l'adhésion des acteurs politiques mais aussi leur capacité à contrôler. La multiplication des flux, à la fois sous leur dynamique propre et par l'ouverture des frontières, altère les moyens de surveillance des États. De plus les pouvoirs de ces États sont très inégaux : certains n'existent presque que sur le papier (Afrique au sud du Sahara), d'autres souffrent de décomposition ou de chaos (Corne de l'Afrique – souvent utilisée comme poubelle de déchets toxiques –, espace ex-soviétique – source, dans les années 90, de trafics clandestins de matières fissiles). Dans ces conditions, quel contrôle ? Les satellites peuvent-ils tout appréhender ? Les inspections sur place, outre qu'elles peuvent être détournées par des États déterminés à tricher, ne sauraient se faire sans un support politique et peut-être militaire. Mais il n'existe pour le moment ni un État mondial coiffant les États existants, ni une armée mondiale permanente au service des inspections.

V. — Maintien de la paix

Depuis les grandes découvertes et les conflits qu'elles suscitent, en articulation avec les rivalités européennes, la guerre et la paix sont bien des affaires planétaires. Dès la fin du XVe siècle, les puissances se disputent et se répartissent le monde entier (en 1493-1494, bulle du pape Alexandre VI puis traité de Tordesillas partageant entre l'Espagne et le Portugal les terres occidentales). Au XXe siècle, les deux guerres mondiales, du fait d'abord des formidables progrès techniques mais aussi du changement des valeurs (principe national, idéologies messianiques), tendent à faire de la terre un unique champ de bataille.

Par ailleurs, du XVIᵉ au XVIIIᵉ siècle, la philosophie politique européenne, de Machiavel à Kant, de Hobbes à Rousseau, pense l'État, sa souveraineté, mais aussi la guerre et la paix, avec l'émergence du droit des gens. Des penseurs élaborent des projets de paix universelle et perpétuelle. Le plus célèbre de ces projets est peut-être celui de Kant, en 1795 ; la paix doit reposer sur l'emboîtement harmonieux de plusieurs systèmes de droit, ceux internes aux États, celui entre les États, enfin celui englobant individus et États « comme citoyens d'une cité humaine universelle ».

A l'issue de la Première Guerre mondiale, la SDN (en anglais, *League of Nations*), inspirée par les États-Unis du président Wilson, se présente comme la première tentative d'édification de ce pacte kantien entre les nations. Tout comme, dans le mythe du contrat social, les individus, se réunissant en société, mettent en commun leur sécurité désormais protégée par l'État, cette Société des Nations fixe des règles de cohabitation, de solution des litiges entre les États et confie à tous la garde de la paix (sécurité collective). Mais la SDN non seulement reste essentiellement européenne par sa composition mais surtout n'empêche pas le retour de la guerre en Europe. La SDN manque d'universalité et de stabilité : les États-Unis, qui, pourtant, en sont l'initiateur, refusent d'en faire partie ; l'Allemagne, le vaincu de 1918, n'y entre qu'en 1926 pour la quitter en 1933 ; les peuples non européens soit sont, au pire, sous le joug colonial, soit sont, au mieux, traités comme inférieurs. Enfin, la SDN ne dispose pas de véritables moyens pour interdire les affrontements entre États (procédures très complexes d'évocation des différends ; incapacité d'imposer quoi que ce soit aux États ; absence d'une force militaire commune).

L'ONU, elle, est bien une organisation planétaire. Elle est dominée (et souvent paralysée) par les deux acteurs les plus importants du système mondial : les États-Unis et l'URSS. Peu à peu, principalement du fait de la décolonisation, l'ONU constitue bien l'ébauche d'une démocratie mondiale : l'Assemblée générale, comprenant tous les États membres, annonce un parlement planétaire ; de même le Conseil de sécurité, responsable du maintien de la paix, serait une esquisse de gouvernement mondial.

Cependant, la mondialisation de la paix, comme de celle des autres domaines sociaux ou internationaux, à la fois promet un monde radicalement nouveau et en même temps butte contre les tensions permanentes de l'histoire humaine.

A) *L'abolition de la guerre.* — Depuis la fin de la Première Guerre mondiale – « la der des ders » –, les hommes pensent pouvoir abolir la guerre, cette fatalité millénaire (en 1928, Pacte Briand-Kellogg, déclarant la guerre hors la loi). En 1945, la charte de l'ONU apporte une réponse équivoque, finalement très significative des contradictions des hommes face à la mondialisation. D'un côté, la charte, afin d'établir une « vraie » paix, instaure un système de sécurité collective : dans le cas d'une menace ou d'une atteinte à la paix, intervient un policier mondial, le Conseil de sécurité, doté de pouvoirs de coercition, et disposant (au moins sur le papier) d'une force armée (art. 43 à 47). D'un autre côté, la charte pouvait-elle priver l'État de ce qui constitue le cœur de sa souveraineté, « le monopole de la violence légitime » (Max Weber) ? Si l'État perd en principe la capacité de faire la guerre, il garde le « droit naturel de légitime défense, individuelle ou collective » (art. 51). Tout de suite surgissent des difficultés bien connues. Certes la légitime défense a une définition générale claire : elle ne peut être qu'une réponse à une agression, les moyens de cette réponse devant être proportionnés à ceux de l'attaque. Dans les faits, combien d'agressions sont justifiées, habillées comme des expressions de légitime défense (par exemple, en 1939, lors de l'attaque de la Pologne par l'Allemagne hitlérienne) ! Si, *au sein d'un État*, des instances, les tribunaux, apprécient s'il y a ou s'il n'y a pas légitime défense, les États, eux, sont souverains et, au stade actuel, ne sont pas prêts à reconnaître à une autorité supérieure le pouvoir de déterminer s'il y a ou non situation de légitime défense.

B) *Un policier mondial à deux visages.* — Le Conseil de sécurité est donc le gardien de la paix mondiale. Mais comment est-il composé ? Comment fonctionne-t-il ? Le

Conseil comprend d'abord cinq membres permanents : États-Unis, URSS (depuis décembre 1991, Russie), Chine, Royaume-Uni et France. Ceux-ci ont été choisis en 1945 à la suite de tractations tortueuses qui les ont retenus comme les cinq principaux vainqueurs de la guerre. Ces membres permanents ont un droit de veto ; par conséquent toute proposition de décision, à laquelle l'un d'entre eux s'oppose, se trouve bloquée. Ce « gouvernement mondial », censé formuler et exprimer l'intérêt général de l'humanité, reste un concert diplomatique, dans le sens classique du terme, c'est-à-dire une enceinte formée de grandes puissances, celles-ci s'équilibrant plus ou moins et négociant entre elles pour gérer l'ordre en place ; la volonté du Conseil de sécurité, lorsqu'elle existe, est le produit d'un compromis entre les membres permanents, ceux-ci ayant un poids variable et changeant (en ces années 90, prééminence écrasante des États-Unis, capacité d'empêchement de la Russie...).

Les deux lectures contradictoires de l'affaire du Koweit, en 1990-1991, fournissent une parfaite illustration des équivoques qui entourent aujourd'hui le principe de police mondiale :

— Première lecture démontrant l'émergence d'une telle police : l'Irak de Saddam Hussein, en envahissant et en annexant le Koweit, commet un viol de la loi internationale (agression d'un État souverain, membre de l'ONU, par un autre État souverain). Le droit exige donc de libérer la victime et de punir le délinquant. D'où une succession de résolutions du Conseil de sécurité, isolant l'Irak, autorisant la guerre contre cet État pour libérer le Koweit et enfin plaçant l'Irak vaincu sous une tutelle sévère.

— Deuxième lecture faisant valoir que la paix mondiale demeure liée au jeu de la puissance : l'Irak, en s'emparant du Koweit, perturbe gravement deux équilibres, celui de la péninsule arabique (en particulier, menace contre l'allié clé des États-Unis, l'Arabie saoudite), celui du marché du pétrole (l'Irak, avec le Koweit, devenant, derrière l'Arabie saoudite, le second exportateur le plus lourd). La libération du Koweit, réalisée par une coalition sous le commandement des États-Unis, répond donc strictement à leurs intérêts, Washington utilisant l'ONU pour couvrir son opération d'un mandat international (les circonstances étant extraordinairement favorables : l'Union soviétique de Gorbatchev, en pleine décomposition, a un besoin vital de l'aide occidentale ; la Chine est absorbée par ses remous internes ; quant au Royaume-Uni et à la France, ce sont des États occidentaux, alliés des États-Unis).

C) *Domaine international, domaine interne.* — L'ordre onusien repose sur l'égalité souveraine des États, la non-ingérence dans les « affaires qui relèvent essentiellement de la compétence nationale d'un État », sous réserve de « l'application des mesures de coercition » pour le maintien de la paix (art. 2, al. 7). D'où plusieurs interrogations : dans un monde mondialisé, encombré, interdépendant, la paix peut-elle reposer sur des équilibres toujours précaires entre États ? N'exige-t-elle pas une communauté mondiale, un dépassement de la ligne de partage entre affaires internes et affaires externes (des États non seulement ayant des régimes politiques semblables – en clair, des démocraties – mais aussi soumettant leur fonctionnement intérieur à des mécanismes internationaux – notamment dans le domaine des droits de l'homme), enfin des formes de solidarité planétaire ?

L'État mondial est encore loin. Est-il souhaitable ? Ne risquerait-il pas d'accoucher de la pire des tyrannies, puisqu'universelle elle ne redouterait aucun rival extérieur ? Cependant, des éléments d'un tel État se manifestent à travers l'évolution de trois problématiques tant internes qu'internationales.

1. **Problématique de la sécurité.** — Les rivalités, les affrontements entre communautés humaines (certes États mais aussi ethnies, églises...) ne sont pas près de disparaître. Ces conflits appelés à se perpétuer n'excluent pas l'émergence d'une problématique planétaire de la sécurité, concernant la survie de l'humanité entière. D'où des interactions de plus en plus complexes entre conflits internes, conflits interétatiques et conflits globaux. Il y a et il y a aura de plus en plus de dispositifs visant à appréhender tel ou tel enjeu dans sa globalité (du nucléaire à l'environnement, des capitaux aux situations d'urgence).

2. **Problématique de la solidarité.** — Les questions de solidarité, internes et internationales, s'imbriquent de plus en plus. Les écarts de revenus suscitent des mouvements migratoires, essentiellement des zones pauvres vers les zones riches, le seul véritable frein à ces déplacements résidant dans le développement des premières. Le vieillissement des populations des pays riches, le financement des retraites provoquent la recherche d'investissements, de placements à haut rendement... que peuvent procurer les pays en plein développement. Des risques colossaux en résultent ; et ils appellent la mise sur pied de mécanismes internationaux de surveillance, d'assurance, d'entraide.

3. **Problématique de la légitimité.** — Si l'État souverain demeure le premier pôle de cristallisation des loyautés et d'expression de la légitimité politique, il s'ébauche bien une opinion publique mondiale, s'appuyant sur des mouvements transnationaux, se voulant les porte-parole de l'intérêt général de l'humanité entière. Mais alors la participation politique peut-elle échapper au cadre étatique et s'organiser à l'échelle universelle ? Ou à l'échelle des continents ? Ou à plusieurs niveaux à la fois, de celui du village à celui de la planète ?

Chapitre VI

MONDIALISATION ET RÉGIONALISATION

Depuis l'aube de l'histoire, et en particulier depuis les grandes découvertes, l'humanité ne cesse de chercher à élargir son espace, chaque phase de cet élargissement s'accompagnant d'actes et de luttes d'appropriation. Du XVe au XXe siècle, la formidable ouverture des espaces qu'accomplissent les puissances européennes entraîne des guerres sans fin pour leur partage et la constitution d'empires coloniaux. Si la mondialisation définit l'ensemble des processus de multiplication des liens entre les sociétés, entre les hommes, *sur toute la planète*, la régionalisation, elle, couvre toutes les formes d'établissement de liens privilégiés *au sein d'une région* (Europe, Afrique...). Alors comment l'une et l'autre s'articulent-elles ? S'opposent-elles, toute régionalisation tendant à fragmenter la planète en espaces séparés et clos, la mondialisation impliquant une terre débarrassée de toutes ses barrières ? Au contraire, se combinent-elles ? A cet égard, qu'indique le passé **(Données mondiales et configurations régionales, de la crise des années 30 à l'écroulement du système Est-Ouest)** ? Mais surtout la mondialisation, aujourd'hui, appelle-t-elle des structurations régionales spécifiques **(Mondialisation et régionalisation au seuil du XXIe siècle)** ?

I. — Données mondiales et configurations régionales, de la crise des années 30 à l'écroulement du système Est-Ouest

1. Libre-échange ou sphères autosuffisantes ? — Dans la première moitié du XIXe siècle, l'Angleterre est le théâtre d'un débat historique majeur : doit-elle abandonner la protection douanière dont bénéficie son blé ? D'un côté, les grands propriétaires terriens, qui tirent leur revenu de cette production, ne peuvent que vouloir le maintien de cette protection. De l'autre côté, pour les industriels, pour leur porte-parole, Richard Cobden, la suppression des droits permettra d'importer du blé moins cher et de fournir du pain à bon marché aux ouvriers ; ceux-ci pourront acheter d'autres biens et stimuleront l'émergence de nouvelles industries, pour lesquelles l'Angleterre dispose d'un avantage comparatif ; ainsi se constituera une dynamique d'élévation du niveau de vie. Tel est le raisonnement libéral, promoteur de la division internationale du travail (théorie d'Adam Smith). En 1846-1849, les lois protectrices *(Corn Laws)* sont abolies. L'Angleterre jouit alors d'une avance exceptionnelle : elle est « l'atelier du monde », la terre entière s'offre à elle et elle n'hésite pas à recourir à la guerre pour ouvrir au commerce les pays fermés (ainsi guerres de l'Opium contre la Chine).

Mais toute suprématie est temporaire. D'autres pays s'industrialisent. Ce sont d'abord les États-Unis, qui se posent en premier rival de l'Angleterre. Ils établissent des barrières douanières pour défendre leurs industries naissantes ; et c'est là l'une des causes de la guerre de Sécession (1861-1865), le Nord industriel mettant fin, par sa victoire, au libre échange du Sud. L'Allemagne, également, émerge comme un redoutable concurrent ; elle aussi se protège. Dans le dernier tiers du XIXᵉ siècle, la lutte pour les débouchés se déchaîne entre ces puissances industrielles. En Angleterre, pourtant patrie du libre-échange, mais souffrant déjà du vieillissement de son industrie, naît un courant, incarné par Joseph Chamberlain, préconisant la préférence impériale, c'est-à-dire la transformation de l'Empire en un vaste espace protégé de la concurrence extérieure par des tarifs élevés. C'est bien alors que s'ébauche l'opposition entre mondialisme et régionalisme économique, les options idéologiques ne se dissociant pas des situations.

Dans ces années 1890-1914, l'Allemagne, qui se ressent, elle-même, comme la « nation tardive », est convaincue d'être étouffée par les puissances établies, et d'abord par l'Angleterre. D'où, en Allemagne, un débat essentiel tout au long de la Première Guerre mondiale : que doit rechercher l'Allemagne, en cas de victoire : une ouverture de tous les marchés (donc une libéralisation des échanges, à la britannique) ou la formation en Europe centrale *(Mitteleuropa)* d'une zone privilégiée, garantissant à l'économie allemande débouchés et matières premières – bref, libre-échange ou autarcie ? Les industriels, persuadés que la *Mitteleuropa* est un espace bien trop petit, sont plutôt partisans de la première option ; les politiques et les militaires, guidés par des préoccupations de sécurité et de puissance, rêvent, eux, d'un empire continental autosuffisant.

Cette problématique est au cœur des années 1933 (Hitler au pouvoir en Allemagne)-1945 (fin de la Seconde Guerre mondiale). La crise économique de 1929 disloque le système mondial d'échanges. La solution dominante réside dans la mise sur pied de vastes espaces protégés, sous la direction d'une grande puissance. En 1932, la Grande-Bretagne et son empire instaurent la préférence impériale. La France exalte l'Empire. L'Allemagne hitlérienne se donne pour but l'édification d'un empire... de l'Atlantique à l'Oural. Le Japon prétend bâtir une « sphère de coprospérité asiatique ». Pour le géopoliticien allemand Karl Haushofer ou le sociologue américain James Burnham (*L'ère des organisateurs*, 1945), le monde est appelé à être partagé entre de grands ensembles continentaux et hostiles.

Et les États-Unis ? Leur motif géopolitique majeur, dans la Seconde Guerre mondiale, est bien l'anéantissement de toutes ces ambitions régionalistes et la reconstruction d'un système mondial d'échanges, seul capable d'apporter à l'industrie américaine, formidablement développée, des débouchés suffisants.

En résumé, la problématique mondialisation-régionalisation ne saurait être séparée de la conjoncture économique et politique du moment, des positions des uns et des autres.

2. **Configurations mondiales et régionales au temps de l'antagonisme Est-Ouest.** — A l'issue de la Seconde Guerre mondiale, les États-Unis, le principal vainqueur, veulent un système planétaire : liberté générale des

échanges ; diffusion de la démocratie ; maintien de la paix par une organisation universelle, l'ONU. Cette vision est alors bloquée par l'autre grand vainqueur, l'Union soviétique. Cette dernière a, elle aussi, une vision planétaire : la conversion de l'humanité au communisme ; en attendant cette révolution mondiale, l'URSS se considère comme assiégée et constitue, avec ses États-satellites d'Europe orientale, une forteresse, le camp socialiste.

Le monde s'organise alors autour de l'antagonisme Est-Ouest ; il en résulte deux alliances, deux blocs – l'atlantique, le socialiste – qui se font face, chacun dans l'attente de l'affrontement décisif, la Troisième Guerre mondiale qui décidera si l'avenir de la terre sera capitaliste ou marxiste-léniniste. D'où une configuration régionale politico-militaire dictée par la donne mondiale.

Dans cette période Est-Ouest, deux dynamiques autonomes de régionalisation se manifestent :

A) *En Europe occidentale, la construction européenne.* — L'amorce de cette construction s'enracine dans le contexte Est-Ouest : les États-Unis, pour contrer la menace soviétique, veulent une Europe occidentale reconstruite et unie sous leur direction (Plan Marshall, suscitant la première structure d'unification de l'Europe, l'Organisation européenne de coopération économique – OECE – en 1948). À partir de 1950, un processus régional proprement européen se cristallise autour de la réconciliation franco-allemande : c'est l'Europe des Six – France, République Fédérale d'Allemagne, Italie et Benelux –, avec la Communauté européenne du charbon et de l'acier – CECA – puis avec la Communauté économique européenne – CEE ou Marché commun. Ce processus est porté par quatre facteurs : la peur du colosse soviétique, qui rend archaïque la haine franco-allemande ; la protection des États-Unis, qui, en étant le reconstructeur et le gardien de l'Allemagne, rassure en particulier la France contre toute revanche de son voisin d'outre-Rhin ; la vigoureuse croissance économique des Trente Glorieuses (1945-1975), qui multiplie les échanges entre Européens et leur montre tout le progrès qu'ils tirent à travailler ensemble (au lieu de s'entretuer) ; enfin, certes, la sagesse des gouvernants et des peuples. La construction européenne illustre bien les interactions complexes entre données mondiales et données régionales.

A partir des années 60, les évolutions du système mondial mais aussi celles des structures régionales modifient le sens de ces dernières. Les relations Est-Ouest s'assouplissent (détente), affaiblissent la rigidité des blocs, offrent à leurs éléments composants (essentiellement États membres) plus de liberté de mouvement. La Communauté européenne s'est développée et consolidée ; de ce fait elle tend à s'affirmer comme un pôle propre, d'abord face à son « parrain », les États-Unis, qui admettent mal que cette Communauté, dont ils ont accompagné les premiers pas, et qu'ils protègent, leur résiste, même timidement (« guéguerres » agricoles).

B) *Dans le Tiers Monde.* — Les peuples colonisés, s'émancipant, refusant d'être enfermés dans le cadre Est-Ouest, revendiquent d'exister par eux-mêmes, en bâtissant des structures globales propres (en 1961, Mouvement des non-alignés ; en 1963, Groupe des 77 visant à établir une démarche commune du Tiers Monde dans le domaine économique). Ce qui unit ces pays, c'est leur lutte contre l'Occident : la décolonisation doit être menée à son terme ; le capitalisme mondial doit laisser place à un système juste, rémunérant équitablement les producteurs de matières premières.

Les processus de régionalisation du Tiers Monde sont limités. La Ligue arabe, qui doit regrouper tous les États arabes, est créée en 1945 par l'Angleterre, qui, consciente de ne plus pouvoir dominer le Moyen-Orient comme par le passé, conçoit cette enceinte comme un instrument d'influence indirecte ; et surtout, la Ligue, même émancipée du Royaume-Uni, ne fait que refléter les divisions du monde arabe. En 1963, naît l'Organisation de l'unité africaine (OUA). Cette organisation sombre très vite dans la paralysie, par manque de moyens et d'objectifs. En fait les États africains ne sont unis que par leur attachement aux frontières : celles-ci, tracées par les colonisateurs, ne peuvent être qu'« artificielles » pour les ex-colonisés, mais, pour les hommes au pouvoir, c'est sur elles que repose leur légitimité. Toutefois, dans les années 80, l'OUA se déchire justement sur une question territoriale : une faible majorité d'États membres de l'OUA vote pour l'accueil en son sein du Sahara ex-espagnol, qui s'est proclamé République arabe sahraouie démocratique (RASD); le Maroc, qui revendique ce territoire comme sien, se retire de l'organisation, suivi par dix-huit autres États.

Dans le Tiers Monde, des années 50 aux années 80, aucune des trois conditions susceptibles d'enclencher un processus de régionalisation ne se manifeste : ni puissance capable d'unifier, par la force ou la persuasion, un espace régional ; ni dynamique combinant croissance et multiplication des échanges et sécrétant peu à peu des interdépendances, pouvant appeler une forme d'unité politique ; ni, enfin, « parrains » extérieurs suffisamment implantés et pressants pour amener telle ou telle zone à se rassembler.

A la fin des années 80, la configuration Est-Ouest est balayée par un bouleversement planétaire : l'irruption d'une nouvelle ère technico-économique, avec l'électronique, l'informatique et les télécommunications. Au centre de la configuration, se trouvent les États-Unis et l'Union soviétique : cette dernière, consciente de manquer cette révolution et de s'enfoncer dans le sous-développement, tente, sous Gorbatchev, un effort désespéré pour se réformer, et implose ; les États-Unis, qui, eux, sont le premier laboratoire de cette nouvelle ère, se rendent compte qu'elle impose une révision radicale de leurs priorités : les responsabilités impériales sont trop lourdes ; l'essentiel est de rester le premier dans l'innovation. Cette nouvelle ère contribue à la dislocation de la coupure en deux blocs (ne serait-ce qu'en facilitant formidablement la circulation des images, des informations et donc des comparaisons) et bouscule les hiérarchies établies : les pays de l'Asie maritime se jettent avec frénésie dans la course, tandis que l'Europe paraît fatiguée.

II. — Mondialisation et régionalisation au seuil du XXIe siècle

Tout comme la mondialisation, la régionalisation constitue l'un des traits clés de la fin du XXe siècle : il y a bien multiplication des constructions régionales en Europe, en Amérique, en Asie ; mais, derrière ce mouvement général, la diversité reste très grande, chaque processus de régionalisation étant façonné par les caractères, l'histoire, les conflits de la région concernée. Ce jeu mondialisation-régionalisation se manifeste essentiellement dans deux domaines : l'intégration économique ; la sécurité.

1. **L'intégration économique.** — Cette dynamique d'intégration régionale est amorcée, en 1985, avec la relance de la construction européenne (achèvement du marché unique, c'est-à-dire élimination de tous les obstacles subsistant aux échanges, au sein de la Communauté européenne d'ici à 1992). La démarche, qui sous-tend ce programme, est très significative : l'Europe occidentale prend du retard dans la course technico-économique avec les États-Unis et le Japon (europessimisme) ; il faut réveiller l'Europe en intensifiant la concurrence entre ses entreprises, en supprimant tout ce qui les protège.

Ce raisonnement lie bien mondialisation et régionalisation : dans un monde emporté par d'énormes mutations (montée spectaculaire de l'Asie-Pacifique et, au-delà, durcissement, élargissement de la compétition internationale), l'édification d'un grand espace économique régional fournira aux économies, aux entreprises des États impliqués à la fois un stimulant, en avivant la concurrence, et un tremplin vers le marché mondial. La régionalisation est portée par la mondialisation.

En Amérique, se mettent en place l'Association de libre-échange nord américaine (ALENA ou, selon son sigle américain, NAFTA), regroupant les États-Unis, le Canada et le Mexique (en vigueur depuis le 1er janvier 1994), le MERCOSUR, union douanière incomplète réunissant l'Argentine, le Brésil, le Paraguay et l'Uruguay (en vigueur depuis le 1er janvier 1995), et devant accueillir le Chili. Le Groupe andin, né en 1969, et regroupant la Bolivie, la Colombie, l'Équateur, le Pérou et le Vénézuela, devient une union douanière en 1995. Au-delà de ces réalisations, les États-Unis envisagent un ensemble plus vaste : une zone de libre-échange panaméricaine, allant de l'Alaska à la Terre de Feu (en 1990, *Initiative pour les Amériques* du président Bush ; en 1994, sommet de Miami fixant une échéance : 2005).

En Asie, l'Association des nations d'Asie du Sud-Est (ANASE ou, selon son sigle américain beaucoup plus connu, ASEAN), créée en 1967 (en pleine guerre américaine du Vietnam, pour faire face à la menace communiste), comprend Brunei, l'Indonésie, la Malaisie, les Philippines, Singapour, la Thaïlande et le Vietnam (depuis 1995). Le Myanmar (ex-Birmanie) – observateur en 1996 –, le Cambodge et le Laos sont appelés à rejoindre cette organisation. L'ambition de l'ANASE est de former une zone de libre-échange d'ici à 2008.

Un projet bien plus considérable concerne l'Asie-Pacifique : en 1994, le sommet de Bogor (Indonésie) arrête le principe d'une zone de libre-échange entre les États de l'APEC. L'APEC (selon son sigle américain) – ou CEAP (Coopération économique des pays de l'Asie et du Pacifique) – est une structure informelle regroupant dix-huit entités : les trois membres de l'ALENA plus le Chili ; les trois Chine (Chine, Hong-Kong, Taiwan) ; les États de l'ANASE ; le Japon ; la Corée du Sud ; l'Australie ; la Nouvelle-Zélande ; enfin la Papouasie-Nouvelle-Guinée – soit, en ces années 90, la moitié du produit mondial brut et 40 % du commerce mondial.

Ces constructions sont très hétérogènes. Une seule commence d'avoir une véritable histoire (la construction européenne), les autres amorcent leur existence. Certaines sont dominées par un État (ainsi l'ALENA par les États-Unis), d'autres non. Certaines fonctionnent, d'autres ne sont que le cadre d'un projet. Une seule de ces organisations est tenue par une finalité politique (l'Union européenne), les autres non. Enfin, à côté de ces ensembles qui ont une réalité ou un début de réalité, que de d'édifices demeurés sans substance ou dépourvus d'avenir (de l'Union du Maghreb arabe – UMA –, lancée en 1989, au principe d'un marché commun panafricain, adopté par l'Organisation de l'unité africaine – OUA – en 1991, pour 2025) !

Du point de vue de la mondialisation, cette régionalisation soulève une interrogation : ces espaces d'intégration, dans la mesure où ils se concrétisent, ont-ils vocation à se fondre dans un marché universel, rêve des libéraux, ou à se fermer sur eux-mêmes, à devenir des forteresses ?

Dans leur état actuel, ces ensembles sont ouverts. Certains sont des zones de libre-échange (notamment l'ALENA) ; dans une telle formule, si les barrières aux échanges *entre* les États membres sont éliminées, il n'y a pas, parallèlement, instauration d'un dispositif commun (tarif douanier commun, politique commerciale commune) face aux États tiers. Quant aux unions douanières, qui, elles, impliquent un tel dispositif et qui, donc, peuvent se constituer en forteresses face au monde extérieur, la plus achevée de loin est la Communauté européenne ; celle-ci, si elle a quelques secteurs très protégés (essentiellement l'agriculture par la Politique agricole commune), a multiplié les négociations et les accords ouvrant son marché. Par ailleurs, zones de libre-échange et unions douanières sont soumises à l'approbation du GATT (depuis le 1er janvier 1995 de l'Organisation mondiale du commerce – OMC), qui exige que ces dispositifs ne pénalisent pas les États tiers.

En cette fin de XXe siècle, plusieurs facteurs de fond s'opposent, semble-t-il, à cette logique de forteresse.

• Pour beaucoup de multinationales, ces marchés régionaux, aussi vastes soient-ils, sont déjà trop petits ; de plus, ces entreprises n'ignorent pas qu'en se bornant à un tel marché, même protégé, elles seront bientôt prisonnières, coupées des autres marchés, assiégées et bousculées par des concurrents plus mobiles, se servant sinon de la planète entière, au moins de plusieurs continents pour se déployer.

• Les besoins des économies développées en matières premières, en produits et techniques de toutes sortes sont trop considérables et multiples pour qu'aucune pense les satisfaire tous en puisant dans une seule région. Les États-continents (États-Unis, Russie...), même si leur immensité peut leur donner une illusion d'autosuffisance, ne pourraient revenir à une quasi-autarcie qu'au prix d'un rationnement et d'un appauvrissement massifs.

• La complexité, l'enchevêtrement des échanges font que toute protection peut être tournée. Dans les années 80, les États-Unis et l'Europe occidentale obtiennent du Japon qu'il « autolimite » ses exportations d'automobiles ; le Japon s'adapte : il construit aux États-Unis et en Europe des usines de fabrication d'automobiles, qui sont d'autant plus souhaitées qu'elles créent des emplois.

La mondialisation et la régionalisation interagissent

l'une sur l'autre en permanence. Mais alors que se passera-t-il si survient un krach comparable à celui de 1929 ? La dislocation du système mondial d'échanges ne conduirait-elle pas à un changement radical dans le rôle et la signification de ces espaces ? Ceux-ci, au lieu d'être des points d'appui vers le marché mondial, deviendraient des zones de repli, se fermant sur l'extérieur. L'idéologie libérale, qui inspire aujourd'hui ces espaces, laisserait la place à une idéologie d'exclusion, d'intervention, de discipline collective, les peuples s'y ralliant afin de tenter de sauver le reste de leur niveau de vie. Ce serait, sur une terre radicalement différente, la reformulation de la problématique des années 30.

2. **La sécurité.** — Tout système de sécurité est le produit d'un rapport toujours mouvant de forces. Ainsi, à l'issue de la Seconde Guerre mondiale, la Grande Alliance victorieuse et surtout, en son sein, le couple États-Unis-URSS sont-ils appelés à mettre sur pied le système de sécurité de l'après-guerre : ce sera, avec le Conseil de sécurité de l'ONU et ses membres permanents, la recréation, à l'échelle planétaire, du concert européen, dialogue permanent entre les plus grandes puissances pour garder la paix. Ce système ne voit pas le jour du fait du désaccord entre les deux grands vainqueurs, de l'antagonisme entre l'Occident et l'Union soviétique.

De la fin des années 40 à la fin des années 80, la sécurité mondiale est indissociable de cet antagonisme, de son emprise variable d'un continent à l'autre.

• En Europe, partagée entre les armées occidentales et soviétique, deux blocs hostiles, l'un sous la direction de Washington (Alliance atlantique), l'autre dans la poigne de Moscou (Pacte de Varsovie), s'équilibrent ; même s'ils se préparent pour une guerre décisive l'un contre l'autre, ils ne peuvent se la faire, tous deux redoutant une escalade nucléaire les entraînant dans un anéantissement mutuel. De ce face à face naît un système européen de sécurité, qui dure jusqu'à l'effondrement du bloc communiste et de l'URSS. Entre les deux blocs et les États qui les composent, s'établissent des canaux de négociation et de coopération, le plus institutionnel se mettant en place en 1973-1975 (Conférence sur la sécurité et la coopération en Europe – CSCE – ou processus d'Helsinki). Ainsi, peu à peu, l'équilibre de la terreur se transforme-t-il en un bras de fer politique, chacun cherchant plus ou moins à faire trébucher l'autre (l'Occident en utilisant le levier des droits de l'homme contre le totalitarisme soviétique, l'URSS en mobilisant l'antiaméricanisme des courants progressistes ouest-européens).

• Hors d'Europe, il n'y a pas d'organisation de la sécurité. D'un continent à l'autre se dessinent des configurations variables de forces, d'États, que manipulent, tels deux joueurs d'échecs, les États-Unis et l'Union soviétique.

L'écroulement du camp communiste, la dissolution de l'URSS marquent la fin de l'équilibre Est-Ouest. Au tournant des années 80-90, l'ordre planétaire, qui n'a pas vu le jour en 1945, semble possible. Il ne reste plus qu'une superpuissance : les États-Unis. La Russie, qui succède sur la scène mondiale à l'URSS, a, pour se reconstruire, un besoin vital de l'aide occidentale et doit donc accepter plus ou moins la prééminence des États-Unis. La Chine reste une puissance régionale, d'abord soucieuse d'être reconnue en Asie. Dans cet environnement, le Conseil de sécurité peut être le policier de la planète, non seulement mettant au pas les voyous (en 1990-1991, Irak à la suite de son invasion du Koweit) mais encore en reconstruisant politiquement des pays (Cambodge, 1992-1993). Il y aurait donc un système mondial de sécurité.

Dès le début des années 90, la mécanique s'enraye : en Somalie, ravagée par la guerre civile, des soldats de l'ONU, en 1992-1995, sont envoyés sans mandat politique ferme et sont vite pris au piège des luttes locales ; à la même époque, un scénario analogue se déroule en ex-Yougoslavie. Le Conseil de sécurité, « gouvernement du monde », est en fait un lieu de rivalité, de dispute entre ses membres permanents. L'ONU est surchargée d'opérations, tout en étant au bord de la faillite, beaucoup d'États (dont d'abord les États-Unis) accumulant d'importants retards de paiement de leur quote-part.

Alors, régionalisation de la sécurité ? C'est ce qu'envisage, avec beaucoup de circonlocutions, *L'agenda pour la paix*, document de réflexion élaboré par le Secrétaire général des Nations Unies, en juin 1992 : « Ce qui est clair toutefois, c'est que les accords et organismes régionaux possèdent dans de nombreux cas un potentiel qui pourrait contribuer [à la] diplomatie préventive, [au] maintien de la paix, [au] rétablissement de la paix et [à la] consolidation de la paix après les conflits. »

Les problématiques régionales sont extrêmement diverses :

• En Europe, la fin du système Est-Ouest, l'éclatement des « prisons de peuples » (Yougoslavie, Union soviétique et aussi Tchécoslovaquie) entraînent une prolifération d'abcès liés à des siècles d'histoire : Bosnie-Herzégovine, Caucase... Les structures européennes se révèlent désarmées. La CSCE non seulement est paralysée par la lourdeur de ses procédures (exigence – plus ou moins aménagée – du consensus, c'est-à-dire de l'absence de toute opposition, pour toute décision) mais encore n'a aucun moyen de contrainte. La Communauté européenne, d'une part, se divise en 1991 (la France et l'Angleterre voulant sauver l'unité de la Yougoslavie contre l'Allemagne convaincue qu'il faut laisser Slovènes, Croates... disposer d'eux-mêmes) et, d'autre part, n'a, elle non plus, aucune capacité militaire. En 1992, c'est au tour de l'ONU d'être mise à contribution avec la Force de protection des Nations Unies (FORPRONU). Mais l'organisation mondiale réussit à peine mieux que les institutions régionales ; les casques bleus, soumis aux instructions désordonnées du Conseil de sécurité, sont pris entre les belligérants et, soldats de la paix, n'ont pas le droit de faire la guerre. Progressivement, en 1994-1995, entre en scène la structure, qui, elle, a la force : l'Organisation du traité de l'Atlantique-nord (OTAN), dominée par les États-Unis, et donc, si ces derniers en sont d'accord, pouvant mobiliser des troupes américaines. En novembre 1995, l'accord de Dayton fixe le cadre et le calendrier d'un règlement pour la Bosnie-Herzégovine, et la force chargée de veiller à son exécution *(Implementation Force* ou *IFOR)* est placée sous le commandement de l'OTAN ; c'est la condition qu'ont posée les États-Unis, très hostiles à l'ONU, pour fournir des soldats à cette opération. Finalement, le système européen de sécurité continue de s'organiser autour de la protection des États-Unis. L'Europe, laboratoire d'institutions depuis la fin de la Seconde Guerre mondiale, semble être porteuse d'une sécurité d'un type nouveau, dans lequel les États s'intègrent dans un réseau de plus en plus dense de règles les obligeant à négocier, à coopérer entre eux ; cependant les haines, les guerres sont toujours là.

• Au Moyen-Orient, dominé par des conflits non résolus (notamment le conflit israélo-palestino-arabe, certes engagé dans un processus de règlement) et des rivalités non stabilisées (en particulier entre l'Iran, l'Irak et l'Arabie saoudite pour le contrôle du golfe Persique), ce sont les États-Unis qui sont le gardien des équilibres de cette zone, vitale pour l'Occident par sa richesse en pétrole.

• L'Asie-Pacifique d'aujourd'hui peut évoquer l'Europe des années 1815-1914 : des colosses, inquiets ou/et avides, s'observent (Chine, Japon, Inde, mais aussi Indonésie, Vietnam...) ; à la périphérie, deux autres géants sont, eux aussi, des parties prenantes décisives (la Russie et les États-Unis, ces derniers dominant le Pacifique et protégeant toujours le Japon). La sécurité de cette région repose sur des éléments en pleine évolution : le poids encore écrasant des États-Unis, la dépendance et la vulnérabilité du Japon, l'absorption de la Chine dans ses remous internes, la faiblesse de la Russie. Mais déjà la Chine commence de se montrer agressive, le Japon sent qu'il ne peut tout attendre de l'Amérique... C'est sur cet ensemble de puissances que repose l'édification d'un système asiatique de sécurité.

• L'Amérique latine, plus ou moins chasse gardée des États-Unis (doctrine de Monroe, 1823), parie, surtout avec le MERCOSUR, sur l'intégration économique comme voie de dépassement des antagonismes traditionnels et peut-être d'émancipation des États-Unis. Ceux-ci, en préconisant une zone de libre-échange panaméricaine, ne font d'une certaine manière que reformuler leur emprise sur le continent dans des termes acceptables pour un monde mondialisé, c'est-à-dire excluant les expressions impériales trop brutales et impliquant une égalité au moins apparente entre les États.

• L'Afrique est prisonnière de sa pauvreté, de ses luttes ethniques. Mais les États y sont trop faibles pour se livrer à de grandes guerres.

L'ONU rêve d'une articulation harmonieuse, hiérarchisée entre ordre mondial et ordres régionaux. En fait, le monde mondialisé se caractérise par l'hétérogénéité : à un extrême, des zones d'ordre organisé (par exemple, Europe occidentale et centrale) ; à l'autre extrême, des zones de désordre violent (par exemple, ex-Yougoslavie). Mais, entre ces deux extrêmes, les zones grises, mixtes sont les plus nombreuses ; espaces de guerre et de paix se touchent, s'entremêlent, s'influencent les uns les autres.

La mondialisation, si elle est à l'origine d'enjeux planétaires de sécurité (atome, environnement...), ne fait pas disparaître les problématiques régionales, celles-ci n'étant pas isolées les unes des autres mais se trouvant en constante interaction. En cette fin de XXe siècle, chaque continent obéit à des dynamiques spécifiques, mais celles-ci sont prises dans une histoire mondiale anarchique.

Conclusion

LA MONDIALISATION, UN SEUIL DANS L'HISTOIRE DE L'HUMANITÉ?

La mondialisation représente-t-elle une rupture, un seuil dans l'histoire de l'humanité?

Oui, dans la mesure où elle marque l'unité de l'espace terrestre. Mais quelle unité? Notre planète est prise, tenue par un enchevêtrement de réseaux de plus en plus denses mais pénétrant de manière très inégale les différentes parties du monde. Cette unification de l'espace s'accompagne de celle du temps. De plus, la mondialisation concrétise la nécessité d'une gestion commune des grands problèmes de l'humanité : démographie, exploitation des ressources, risques majeurs, sécurité... La mondialisation ne peut être séparée du mouvement d'organisation de la planète.

Non, dans la mesure où la mondialisation, si elle constitue une dimension supplémentaire, ne transforme pas l'homme. Les histoires particulières – individuelles, locales, nationales... – se poursuivent, remodelées, mais non pas supprimées, par la mondialisation. Les passions humaines demeurent. Les conflits de la mondialisation obéissent à des motifs très proches de ceux des affrontements traditionnels : contrôle des ressources, appropriation du pouvoir, choix idéologiques...

La mondialisation paraît offrir à l'humanité deux voies extrêmes.

Soit la mondialisation donne aux hommes le sentiment d'être enfermés dans une prison, la terre. Un tel sentiment ne pourrait qu'exaspérer les peurs, les frustrations, les guerres, l'homme se sentant privé de toute liberté, de tout infini. Bientôt, comme lors d'autres époques tragiques, s'installerait un climat de fin du monde, se diffuseraient des religions apocalyptiques.

Soit la mondialisation accouche de la conscience de l'unité de l'humanité. Pour paraphraser la formule de Marx, l'humanité sortirait de la préhistoire, des luttes intestines, pour entrer dans l'histoire. Alors s'organiserait un gouvernement commun de la terre. Mais l'homme, peut-être réconcilié avec lui-même, sera-t-il plus libre, plus heureux ?

La mondialisation ne finit ni l'homme, ni son histoire. Elle n'est qu'un des sous-produits du progrès technique ; Ce n'est sans doute pas un hasard si la mondialisation se réalise au moment où l'homme s'enfonce dans deux infinis : l'infiniment petit de la matière ; l'infiniment grand des étoiles.

BIBLIOGRAPHIE

LIVRES

Andreff W. (1995), *Les multinationales globales,* Paris, La Découverte.
Badie B. (1995), *La fin des territoires*, Paris, Fayard.
Beaud M. (1987), *Le système national/mondial hiérarchisé*, Paris, La Découverte.
Colard D. (1996), *La société internationale après la Guerre froide*, Paris, Armand Colin.
Dollfus O. (1994), *L'espace-monde*, Paris, Economica.
— (1995), *La nouvelle carte du monde*, Paris, Presses Universitaires de France, « Que sais-je ? », n° 2986.
Gerbet P. (1996), *Le rêve d'un ordre mondial, de la* SDN *à l'*ONU, Paris, Imprimerie Nationale.
Hassner P. (1995), *La violence et la paix, De la bombe atomique au nettoyage ethnique*, Paris, Éditions Esprit.
Hatem F. (1995), *Les multinationales en l'an 2000*, Paris, Economica.
Hobsbawn E. J. (1994), *Age of Extremes, The Short Twentieth Century (1914-1991)*, Londres, Michael Joseph.
Lafay G. (1996), *Comprendre la mondialisation*, Paris, Economica.
Latouche S. (1992), *L'occidentalisation du monde*, Paris, Agalma/La Découverte.
Morin E., Kern A. (1993), *Terre-patrie*, Paris, Le Seuil.
Ohmae (1996), *De l'État-nation aux États-régions, Comprendre la logique planétaire pour conquérir les marchés régionaux*, Paris, Dunod.
Porter M. (1993), *L'avantage concurrentiel des nations*, Paris, InterÉditions.
Reich R. (1993), *L'économie mondialisée*, Paris, Dunod.
Sachwald F. (sous la dir. de) (1994), *Les défis de la mondialisation : innovation et concurrence*, Paris, IFRI-Masson.
Shayergan D. (1991), *Qu'est-ce qu'une révolution religieuse ?*, Paris, Albin Michel.
Thual F. (1995), *Les conflits identitaires*, Paris, IRIS-Ellipses.
Veltz P. (1996), *Mondialisation, villes et territoires. L'économie d'archipel*, Paris, Presses Universitaires de France.

RAPPORTS ET DOSSIERS

Ordre et désordre dans le monde, *Cahiers français,* n° 263, octobre-décembre 1993, Paris, La Documentation française.
L'économie mondiale, *Cahiers français,* n° 269, janvier-février 1995, Paris, La Documentation française.
Le choc des civilisations, *Commentaire,* n° 66, été 1994, Paris, Plon.

Guerres et paix au XXIᵉ siècle, *Défense nationale*, Paris, avril 1996.

L'universel au risque du culturalisme, *Esprit*, Paris, décembre 1992.

Les nouveaux maîtres du monde, *Manière de voir 28*, novembre 1995, Paris, Le Monde diplomatique.

Rapport annuel mondial sur le système économique et les stratégies, RAMSES, Paris, IFRI-Dunod.

L'économie monde, *Sciences humaines,* n° 14, février 1992.

TABLE DES MATIÈRES

Imprimé en France
Imprimerie des Presses Universitaires de France
73, avenue Ronsard, 41100 Vendôme
Juillet 1998 — N° 45 351